í
Linda

Argraffiad cyntaf: Medi 2013
First Edition: September 2013

ISBN 978-0-9563229-6-8

Comisiynwyd ac ariannwyd gan Bartneriaeth Dolgellau gyda chefnogaeth Menter Treftadaeth Treflun Dolgellau
Commissioned and financed by Dolgellau Partnership with the support of Dolgellau Townscape Heritage Initiative

Dyluniwyd a chyhoeddwyd gan Designed and published by
NEREUS, Tanyfron, 105 Stryd Fawr,
Y Bala, Gwynedd, Gogledd Cymru, LL23 7AE
Ffôn Tel: (01678) 521229 e-bost e-mail: dylannereus@btinternet.com

Argraffwyd gan Printed by
Y Lolfa Cyf., Talybont, Ceredigion SY24 5AP
Ffôn Tel: (01970) 832304
e-bost e-mail: ylolfa@ylolfa.com

CYFLWYNIAD

Mae'n bleser gennyf gyflwyno'r llyfr hwn i chi, sef yr ail gyfrol o hen luniau Dolgellau a gynhyrchwyd dan fantell Partneriaeth Dolgellau. Corff gwirfoddol yw'r Bartneriaeth sydd yn ceisio cyflwyno gwelliannau drwy ddatblygu prosiectau o fudd i'r dref a'r gymuned gyfagos. Mae Marchnad y Ffermwyr a gynhelir yn fisol a'r Cynllun Parc Dolgellau yn ddwy enghraifft o'r math o brosiectau pwysig a hyrwyddir gan y Bartneriaeth.

Rhoddwyd y sylw pennaf yn y llyfr cyntaf a ariannwyd gan Fenter Treftadaeth Treflun Dolgellau i'r adeiladau a'r strydoedd sydd yn rhan annatod o'r dref hynod hon. Mae *Dolgellau 2* ar y llaw arall, yn edrych ar ddigwyddiadau, gweithgareddau a phobl, yn unigolion ac yn grwpiau, a chwaraeodd ran yn hanes lliwgar y dref. Mae'r lluniau hyn yn rhoi cipolwg cyfareddol ar y dyddiau a fu ac, i rai ohonom, yn dwyn i gof nifer o unigolion yr oedden ni'n eu hadnabod a digwyddiadau y buom yn rhan ohonynt.
Mo Ainscough, Partneriaeth Dolgellau

INTRODUCTION

I am delighted to introduce this second book of old pictures of Dolgellau, under the mantle of the Dolgellau Partnership. The Partnership is a voluntary organisation which aims to improve Dolgellau and its surrounding area by developing projects which benefit the town and community. Major projects include the Monthly Farmers Market and the Dolgellau Park Project.

The first book, financed by the Dolgellau Townscape Heritage Initiative, featured primarily the buildings and streets which make up the wonderful town of Dolgellau. *Dolgellau 2* features events, activities and the individuals or groups who have played a part, whether large or small, in the town's colourful history. As a "snapshot in time" these images provide a fascinating insight into bygone days and a trip down memory lane for those of us who can recall many of those individuals and events portrayed in these photographs.
Mo Ainscough, Dolgellau Partnership

CYDNABYDDIAETH ACKNOWLEDGEMENTS

Mae fy niolch yn ddyledus i'r rhai a ganlyn—fy nghydweithwyr, Gethin Wynne Jones ac Elaine Roberts yn Archifdy Meirionnydd am eu cefnogaeth a'u hamynedd ar bob achlysur; fy modryb, Mrs Olwen Davies, nid yn unig am ei gwybodaeth eang ond hefyd am ei pharodrwydd i'm cywiro ar adegau; Harold Williams, y cyn-bostmon, un o hen blant y dref, a Henry Edwards, Uwch-y-maes, am ambell i sgwrs ddefnyddiol iawn; Dylan Jones, Cwmni Nereus, am fy nghynorthwyo trwy gydol y broses gyhoeddi; Mo Ainscough o Bartneriaeth Dolgellau am ei hawgrymiadau a'i chyflwyniad; a John Ellis a Gwilym Jones o Awdurdod Parc Cenedlaethol Eryri am eu cefnogaeth barod bob amser.

I would sincerely like to thank the following individuals—my colleagues, Gethin Wynne Jones and Elaine Roberts at the Meirionnydd Record Office for their support on each and every occasion; my aunt, Mrs Olwen Davies, not only for her knowledge but also for her unerring ability to correct me when needed; Harold Williams, retired postman, Dolgellau born and bred, and Henry Edwards, Uwch-y-maes, for helpful discussions on a variety of subjects; Dylan Jones of Nereus, Bala, for his assistance throughout the publication process; Mo Ainscough of the Dolgellau Partnership for her suggestions and her introduction; and John Ellis and Gwilym Jones of the Snowdonia National Park Authority who have been supportive throughout.

Merfyn Wyn Tomos

RHAGAIR

Mae wedi bod yn fraint cael cyfle unwaith eto i rannu gyda chi beth o hanes tref a bywydau pobl Dolgellau trwy lygaid y camera. Mae gwaith ffotograffwyr megis Charles Young, William Latham Whitehouse ac Albert Hawkins wedi'i gynnwys yn y gyfrol sydd yn llwyddo i ddod â hanes ddoe yn fyw i ni heddiw. Rydym yn falch fod rhyfaint o'u gwaith wedi goroesi a bod pobl wedi bod yn barod i adneuo hwnnw i'r archifdy lleol. Ceir chwaraewyr balch, golffwyr egnïol, cymeriadau lleol, gweithwyr urddasol a gwylwyr chwilfrydig. Maent i gyd â'u rhan yn y ddrama. Gallwm fwynhau'r cyffro pan fo digwyddiadau pwysig yn y dref ac y croesewir ymwelwyr enwog. Mae hunan gynhaliaeth y cyfnod i'w weld yng ngwaith crefftwyr lleol, y gwasanaethau cyhoeddus newydd a'r datblygiadau a'r gwelliannau i'r cyfundrefnau trafnidiaeth. Rwyf yn mawr obeithio y bydd y gyfrol ddilynol hon i hanes y dref mewn hen luniau mor boblogaidd gyda thrigolion lleol ac ymwelwyr ag y bu'r gyfrol flaenorol.

FOREWORD

It has been an immense pleasure to have a further opportunity to share with you some of the history the town of Dolgellau and the lives of its inhabitants captured through the lens of the camera. Photographers such as Charles Young, William Latham Whitehouse and Albert Hawkins have contributed to this volume to bring something of yesteryear alive to us today. I am grateful that much of their work has survived and that people continue to contribute some of their images to the local Archives. From proud sportsmen to energetic golfers, local characters, dignified workers and even interested bystanders – all have their part to play. We can also share the moment as Dolgellau celebrated important events and welcomed distinguished visitors. The self sufficiency of the time stands out through the work of local craftsmen, the new public services and ever improving transport systems. I sincerely hope that this accompanying volume to the story of the town in old photographs proves as popular with both local people and visitors as did the previous volume.

Merfyn Wyn Tomos

1

ARDYDWY

Trawsfynydh

Kenha..n
Etr Chap..
Treuelis

Llynteckoyn

Llandekwyn

Traeth Mai..

Motnuaye flu

Raraunaur
Hill

Deryc flu

Cayne flu

Traeth
Ucha

Llynuie Eithaye

Llyn Ycombe

THE

Llanyhangellytrathe
Harlech

HUND.

Benroſe Wood

Keſsigun flu

Llanunier
Llanbeder

SSanbeder flu

Llandanog

Llanuaghrethe

Nanna

Artro flu

Llany
tyd

Kemmer Abbey

MERI
ONETH
SHIRE
Described
1610

Llanenthowin

Corſegeddal

Skethye flu

Dolgelhe

Gwannas

Llanthoyway

Hirgum flu

Llanaber

Mo

Barmouth

Caddoryd..
Hill

TALYBONT

Deſunny flu

Llanyhangle
Apennant

Talyllyn

Ange

Lleyngoril flu

IRISH

SEA

Llangilynyn

HUN.

Castell Thehery

Llanegryn

Deſunny flu

YSTYMANAEL

Kerry flu

THE   SCALE OF   ENG MILES

Deſunny flu

HUND.

Pennalt

Macheul..

Towen Merioneth

Sarnabugh point

1   2   3   4   5   6

CYNNWYS CONTENTS

Llun y clawr: Hen Senedd-dy Owain Glyndŵr, Dolgellau. [*Ysgythriad gan A Le Petit. Argraffwyd yn 1840 gan T Catherall, Caer.*]
Cover picture: Owain Glyndŵr's old Parliament House. [*Engraving by A Le Petit. Printed in 1840 by T Catherall of Chester.*]

1. Rhan o argraffiad 1610 o fap John Speed o Sir Feirionnydd.
1. Part of the 1610 edition of John Speed's map of Merionethshire.

Wrth baratoi y dewis hwn o ffotograffau perthynol i hanes Dolgellau, hyderaf fy mod wedi llwyddo i gilagor drws ar fywyd rhai o bobl y dref a'u cyfraniad i wneud y dref yr hyn ydyw erbyn heddiw.

O safbwynt lleoliad, mae Dolgellau wedi'i sefydlu ger cymer afonydd Aran ac Wnion sy'n rhedeg heibio'r dref i mewn i'r Fawddach ac ymlaen i'r môr. Mae heb fod ymhell o'r ffawt folcanig sydd wedi galluogi pobl ers canrifoedd maith i deithio trwy'r mynyddoedd i gyfeiriad Tywyn i'r de a'r Bala i'r gogledd. Bu ffordd Rufeinig yn arwain o Domen y Mur ger Trawsfynydd yn y gogledd heibio i Ddolgellau i'r Brithdir ar y ffordd i Gefn Caer ger Pennal ar yr afon Ddyfi. Nid oes tystiolaeth fod Dolgellau ei hun wedi bod yn sefydliad Rhufeinig, ond daethpwyd o hyd i ddarnau o arian o gyfnod Trajan a Hadrian yn Ffynnon Fair tu cefn i dŷ Bryn Mair. Ac, yn ddiweddar, daethpwyd o hyd i olion gwersyll Rhufeinig ger Gwanas Fawr, Y Brithdir.

Tyfodd y dref i ddechrau ar fymryn o godiad tir o amgylch eglwys y plwyf yn ardal y Lawnt. Datblygodd Dolgellau wedyn yn bentwr o dai a chyrtiau, heb lawer o batrwm pendant fel a geir mewn bwrdeistrefi megis yn Y Bala, er enghraifft. Estynnwyd yr hawl i gynnal ffeiriau a marchnadoedd gan Edward III gan gynnig manteision masnachol i'r dref. Ceir traddodiad lleol yn cysylltu Cwrt Plas yn Dre a safai ar safle adeilad T H Roberts gydag Owain Glyndŵr. Yn sicr, arwyddodd Glyndŵr lythyr yn y dref, 'apud Dolguelli' wedi'i ddyddio 10 Mai 1404. Mae cryn dipyn o ddŵr wedi mynd dan y Bont Fawr ers hynny.

Yn ystod y Rhyfel Cartref, roedd Dolgellau ar y cyfan yn bleidiol i'r Brenin er caed rhai eithriadau yn Sir Feirionnydd, fel John Jones, y teyrnleiddiad o Faesygarnedd yn Ardudwy a briododd Catherine, chwaer Oliver Cromwell. Yn dilyn yr amseroedd ansicr hyn, trodd rhai teuluoedd lleol am foddion gras at Gymdeithas y Cyfeillion, neu'r Crynwyr fel y'u gelwid. Bu cyfreithiau caeth y cyfnod ynglŷn ag ymlyniad crefyddol a'r ffaith i rai o'r Crynwyr lleol gael eu herlid, yn gyfrifol am i nifer o ffigyrau amlwg ymysg y Crynwyr fudo i America, yn enwedig i Bensylvania. Sefydlodd Rowland Ellis fferm Bryn Mawr, oedd wedi'i henwi ar ôl ei hen gartref ger Dolgellau. Erbyn heddiw, mae'n enw ar un o brif golegau'r wlad ar gyfer merched.

Yn ystod y ddeunawfed ganrif, fe ddatblygodd y dref yn gyflym fel y tyfodd y galw am wlanen. Bu'r gwehyddion yn nyddu'r brethyn yn eu cartrefi yn y dref, gyda grym dŵr yn cael ei harneisio i gyflymu'r broses yn y pandai yn ystod y bedwaredd ganrif ar bymtheg. Yn sgil ffyniant economaidd daeth y galw am fancio ac fe sefydlwyd y Merioneth Bank gan Thomas a Hugh Jones yn 1803.

Fodd bynnag, cyfyngwyd ar dyfiant diwydiant gan gyflwr gwael y ffyrdd a wnâi'r teithio'n anodd iawn am gyfnodau maith yn ystod y flwyddyn. Bu teithwyr cynnar yn cyfeirio'n aml at y drafferth o fynd o fan i fan yn ystod eu teithiau. Bu artistiaid yn teithio gan geisio cipio rhywbeth o'r tirlun ar ganfas, gan hyd yn oed geisio gwella ar yr olygfa wreiddiol ar adegau. Bu byddigion a chlerigwyr yn teithio er mwyn blasu'r golygfeydd rhamantaidd drostyn nhw eu hunain. Bu'r brodyr Nathaniel a Samuel Buck, er enghraifft, yn teithio'n eang fel gwnaeth Paul Sandby a'r arlunydd Richard Wilson, a dynnodd lun cofiadwy o Gader Idris yn 1774.

Yn ogystal, rhwng 1803 ac 1815, rhwystrwyd nifer rhag teithio ar y cyfandir oherwydd y Rhyfeloedd Napoleonaidd ac fe drodd eu golygon tua Gogledd Cymru.

Cafwyd gwelliant sylweddol erbyn y bedwaredd ganrif ar bymtheg yn sgil yr Ymddiriedolaethau Tyrpeg a ffurfiwyd yn rhan olaf y ddeunawfed ganrif. Codwyd toll ar ddefnyddwyr er mwyn cael peth o'r gost yn ôl, ond bu hyn yn amhoblogaidd iawn mewn sawl ardal. Roedd dyfodiad y rheilffordd yng nghanol yr 1860au eto'n gyfrifol am ddenu ymwelwyr. Yn ogystal, rhoddwyd cyfle i breswylwyr deithio o'u cynefin ar draws y wlad, ac yn wir, ymhellach.

Sefydlwyd diwydiannau eraill yn yr ardal. O ganol y bedwaredd

In preparing this selection of photographs relating to the history of Dolgellau, I hope to provide you with a glimpse of the lives of its people and their contribution to making the town what it is today.

Dolgellau probably owes its origin to its location near the confluence of the river Wnion with the Mawddach leading to the sea and close to the great volcanic fault which has for centuries enabled people to travel south to Tywyn and north to Bala through the mountains. A Roman road from Tomen y Mur near Trawsfynydd in the north passed near to Dolgellau at Brithdir on its way to Cefn Caer near Pennal on the river Dyfi. There is no evidence that Dolgellau had a Roman settlement although coins have been found at the ancient Ffynnon Fair behind the house known as Bryn Mair.

The town developed around the parish church in the Lawnt on a small rise. Mediaeval Dolgellau grew as a haphazard jumble of houses and courts, lacking the grid pattern of streets found in planned boroughs such as Bala. The granting of rights to hold markets and fairs by Edward III gave the growing town commercial advantages over neighbouring settlements. A persistent local tradition associates Cwrt Plas yn Dre which once stood on the site of the present day T H Roberts building with Owain Glyndŵr's parliament house. Certainly Glyndŵr signed and sent a letter from the town, 'apud Dolguelli' dated 10 May 1404. A lot of water has passed under the Bont Fawr since then.

During the Civil War, Dolgellau was mainly Royalist although there were some outstanding exceptions in the county of Merionethshire, such as John Jones, the regicide, who came from Maesygarnedd in Ardudwy and married Oliver Cromwell's sister, Catherine. Following those uncertain times, some local families joined the Society of Friends, better known as Quakers. The strict laws on religious observance and subsequent persecution of local Quakers led to a number of leading figures emigrating to America, in particular to Merion, Pennsylvania where Rowland Ellis founded Bryn Mawr, now the location of a leading women's college.

Economically the town developed rapidly during the 18C as the demand for flannel increased. Weavers wove the cloth in their own homes throughout the town with the water power of the *pandai* (fulling mills) speeding up production in the 19C. Prosperity required banking and the Merioneth Bank established by Thomas and Hugh Jones in 1803 was highly thought of.

The growth of industry was limited by the poor roads which made travel impossible for long periods during the year. The Napoleonic Wars, 1803-1815, prevented many from making the continental grand tour and they turned to North Wales. Early tourists to the area often commented on the struggle to get around. Artists would come and ply their trade to try and capture the glory of the rugged scenery. Gentry and clergy would travel or tour to take in the Romantic setting. The brothers Nathaniel and Samuel Buck for example travelled extensively as did Paul Sandby and the landscape artist Richard Wilson, who painted Cader Idris.

During the 18C and 19C roads were improved by Turnpike Trusts which paid for new roads and then charged users a toll. Although, not unnaturally, this proved to be unpopular in many districts. The coming of the railway in the mid 1860s opened up the area to visitors on an even grander scale. It also gave inhabitants the opportunity to travel across the country and even further afield.

Other industries were established in the area. From the mid 19th century, gold was mined after a rich vein was discovered by copper miners at Figre above Bontddu. The romance of gold still has considerable pull to this day especially since royal wedding rings have traditionally been made with gold from Merionethshire.

By the end of the nineteenth century, Dolgellau had become the county town of Merionethshire. The new County Council, established in 1888 had taken on responsibility for local services, the Court of Quarter Sessions still met in the imposing building by

ganrif ar bymtheg, cloddwyd am aur wedi i fwyngloddwyr copor ddod ar draws gwythïen yn cynnwys aur ym mynydd Y Figre uwchben pentref Y Bontddu. Mae apêl y rhamant sydd yn perthyn i hanes aur yn parhau i'n swyno i'r dydd hwn, yn enwedig gyda'r traddodiad bod modrwyau aelodau o'r teulu brenhinol yn cynnwys aur o fryniau Meirionnydd.

Erbyn diwedd y bedwaredd ganrif ar bymtheg, Dolgellau oedd prif dref Sir Feirionnydd. Bu'r Cyngor Sir newydd a sefydlwyd yn 1888, bellach yn gyfrifol am wasanaethau lleol. Parhâi'r Llys Chwarter i gyfarfod yn yr adeilad sylweddol ger gwaelod y bont fawr ac adlewyrchai'r capeli mawrion dwf anghydffurfiaeth y cyfnod. Roedd y siopau, tafarnau a gwestai yn adlewyrchu statws Dolgellau fel tref farchnad ffyniannus a pharhâi diwydiannau lleol i gyflogi llawer. Roedd addysg yn ffynnu gyda phump o ysgolion lleol yn cynnwys Ysgol Ramadeg y Bechgyn, Dolgellau a ddyddiai o'r unfed ganrif ar bymtheg ac Ysgol Dr Williams i Ferched ar Ffordd Ty'n y Coed. O safbwynt bywyd cymunedol, roedd bri ar weithgareddau'r Clybiau Criced, Hoci a Thennis a brofai'n ganolbwynt i fywyd cymdeithasol yn ogystal â phleser y gamp. Bu bri ar amryfal gymdeithasau diwylliannol yn y dref, yn llenyddol a cherddorol, ac un o uchafbwyntiau'r flwyddyn oedd yr Eisteddfod Flynyddol a gynhelid ar Ddydd Calan.

Ar ôl yr Ail Ryfel Byd, prif flaenoriaeth pobl leol oedd gwasanaethau megis tai ac iechyd. Chwalwyd hen adeiladau a chododd y cyngor ystadau tai newydd fel Ffordd y Felin ac Ardd Fawr. 2,267 oedd cyfanswm poblogaeth y dref yn 1961. Mae ystadegau'r cyfrifiad y flwyddyn honno yn dangos fod canran uchel o'r gweithlu ar y pryd mewn swyddi proffesiynol a gweinyddol. Hanner can mlynedd yn ddiweddarach, nid yw bellach yn wir. Mae twristiaeth erbyn hyn yn gyfrifol am gyflogi canran helaeth, ac mae gan Ddolgellau enw da fel canolfan ar gyfer gweithgareddau awyr agored fel cerdded, beicio mynydd a gwyliau antur.

Mae'r daith i'r gorffennol yn dechrau yn awr gyda golwg ar y dref trwy eiriau a lluniau ymwelwyr a thrigolion lleol. Rydym yn ffodus fod gwaddol cyfoethog o ddeunydd wedi goroesi, ac ar gof a chadw yn yr Archifdy er mwyn i bawb gael cyfle i'w fwynhau.

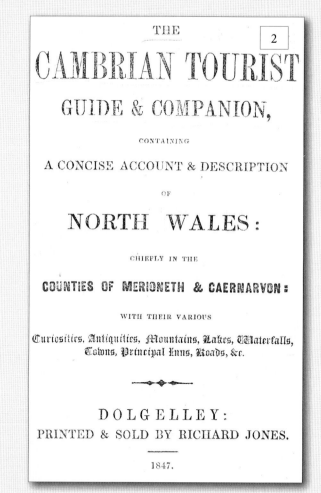

2. Wynebddalen y *Cambrian Tourist Guide & Companion* a argraffwyd yn Nolgellau gan Richard Jones (1787-1855) ym 1847.
2. Frontispiece of *The Cambrian Tourist Guide & Companion*, printed in Dolgellau by Richard Jones (1787-1855) in 1847.

the bridge, large chapels reflected the growth in non-conformity, the many shops, pubs and hotels reflected the town's status as a bustling market town and local industries continued to employ many people. Education was thriving with five local schools including the seventeenth century Dolgellau Boys' Grammar School and the new Dr Williams School for Girls on the Barmouth road. Community life flourished with the Cricket Club, Hockey Club and Tennis Club a focus for social life as well as sporting prowess. Cultural societies were also well supported with the annual New Year's day Eisteddfod a highlight of the town's year.

After the Second World War, housing and health services were priorities for local people.

Older properties were demolished and new council estates built such as Ffordd y Felin and Ardd Fawr. The population of Dolgellau in 1961 was 2,267. The census statistics for that year reveal that a high proportion of the workforce at the time was employed in professional and administrative posts. Fifty years on, this is no longer the case. Tourism is now a major employer in the town and Dolgellau rightly has a reputation for high quality walking, mountain biking and activity holidays,

Our journey to the past now begins with a look at the town as it was captured through words and photographs from visitors and local inhabitants. We are fortunate that this rich legacy survives in the archives for our enjoyment today.

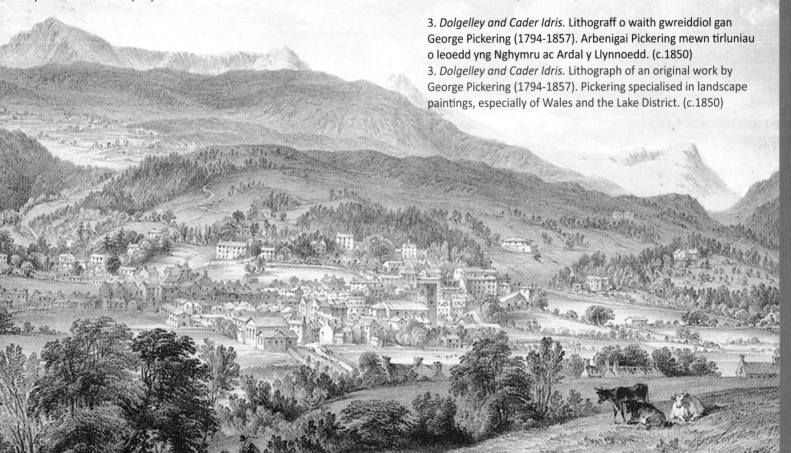

3. *Dolgelley and Cader Idris.* Lithograff o waith gwreiddiol gan George Pickering (1794-1857). Arbenigai Pickering mewn tirluniau o leoedd yng Nghymru ac Ardal y Llynnoedd. (c.1850)
3. *Dolgelley and Cader Idris.* Lithograph of an original work by George Pickering (1794-1857). Pickering specialised in landscape paintings, especially of Wales and the Lake District. (c.1850)

Yn ei ewyllys, dyddiedig 4 Rhagfyr 1665, gadawodd Dr John Ellis, cyn-reithor Dolgellau, waddol yn cynnwys rhent fferm y Penrhyn ar gyrion Y Bontddu, plwyf Llanaber, ar gyfer addysg yn y dref. Yng ngeiriau'r ewyllys:

"for the yearly maintenance of an able and godly schoolmaster, to teach 12 poor children, especially orphans. . ."

Roedd y disgyblion i ddarllen gweddïau dair gwaith y diwrnod ac roedd eu haddysg i barhau hyd nes oeddent yn un ar bymtheg oed.

Dyma'r cynnig cyntaf i greu addysg ffurfiol ar gyfer plant yn Nolgellau.

ARTICULORUM XXXIX Ecclesiæ Anglicanæ DEFENSIO, Unà cum novâ eorundem versione.

Authore

JO. ELIS, S.T.D. Ecclesiæ Dolgelleyensis in Comitatu Merviniæ Rectore.

His Accedunt

Articuli Lambethani,

Unà cum Rev. & Doct. virorum in eos Censurâ, &c.

EDITIO QUARTA.

AMSTELODAMI Apud JOANN. PAULIUM, 1700.

Erbyn canol y bedwaredd ganrif ar bymtheg, fodd bynnag, roedd Dolgellau wedi datblygu'n brif dref sir Feirionnydd gyda phoblogaeth o dros ddwy fil o bobl. Erbyn hynny, roedd pedair ysgol yn y dref. Yn ogystal â'r Ysgol Ramadeg Rad, roedd yna Ysgol Brydeinig ac Ysgol Genedlaethol gyda Ysgol Babanod a gynhelid yn Nhŷ'r Ysgol. Ceir cipolwg ar ddarpariaeth addysg leol ar y pryd yn y disgrifiadau manwl yng nghyfrolau gleision Adroddiad y Llywodraeth ar Addysg (*Report of the Commissioners on Education in Wales*) a gyhoeddwyd yn 1847.

Roedd yr Ysgol Brydeinig yn adeilad pwrpasol yn darparu addysg i blant anghydffurfwyr gydag un athro, 45 o ferched ac 88 o fechgyn. Roedd 22 ohonynt yn fonitoriaid. Codid 1d yr wythnos ar gyfer y rhai hynny a allai fforddio talu, a'r pynciau a ddysgid oedd Ysgrythur, y tair R, Daearyddiaeth, Hanes a Cherddoriaeth.

Roedd yr Ysgol Genedlaethol, sef Ysgol yr Eglwys, hefyd yn adeilad pwrpasol gydag ysgol iau, gymysg ac ysgol fabanod. Yn 1847 roedd 66 merch a 58 o fechgyn ar y llyfrau. Roedd 7 o blant yn fonitoriaid. Yn ogystal ag Ysgrythur a Rhodd Mam, dysgid y tair R, Daearyddiaeth, Gramadeg Saesneg a Cherddoriaeth. Y gost oedd 1d yr wythnos, ond ½d os byddai mwy na thri yn y teulu. Yn Ysgol y Babanod roedd 37 o fechgyn a'r un nifer o ferched gydag un athro wrth y llyw.

Pasiwyd y Ddeddf Addysg Elfennol yn 1870 (Deddf Forster)

4. Tudalen flaen gwaith Dr John Ellis, rheithor Dolgellau, ar sylfaen athrawiaeth yr Eglwys Wladol, sef 39 Erthygl y Ffydd. Cafwyd sawl argraffiad ohono a chyhoeddwyd y copi hwn yn Amsterdam

4. Front page of Dr John Ellis, rector of Dolgellau's work on the 39 Articles, the defining doctrine of the Anglican Church. It went into a number of editions and this particular copy was printed in Amsterdam.

a thrwy'r ddeddf hon sefydlwyd Byrddau Ysgolion. Byrddau a etholwyd yn lleol oeddent gyda'r gallu i godi treth leol, a chyda'r hawl i sefydlu ysgolion anenwadol i'w hadnabod fel Ysgolion Bwrdd. Mae Ysgol y Babanod ym Mhont-yr-Aran a adeiladwyd yn 1886 yn ysgol o'r fath.

Yn dilyn ad-drefnu addysg elfennol, aethpwyd ymlaen yn ddiweddarach i ystyried addysg ganolradd. Yn 1889, pasiwyd Deddf Addysg Ganolradd Cymru, er mwyn ariannu ysgolion sir. Y ddeddf hon oedd yn gyfrifol am godi'r hen ysgol ar safle Ysgol y Gader, a ddaeth yn Ysgol Ramadeg y Bechgyn neu'r Cownti fel y'i gelwid ar lafar. Darperid addysg uwchradd i ferched, o leiaf yn rhannol, eisoes yn ysgol Dr Williams i Ferched a sefydlwyd yn 1878.

Roedd y drefn hon mewn bod, mwy neu lai, hyd 1962 pan agorwyd Ysgol y Gader fel ysgol gyfun yn cynnig addysg ganolradd i holl fechgyn a merched yr ardal dros un ar ddeg oed.

In his will, dated 4 December 1665, Dr John Ellis, the former rector of Dolgellau, left an endowment from the rent of a farm called y Penrhyn on the outskirts of Bontddu, parish of Llanaber specifically

> "...for the yearly maintenance of an able and godly schoolmaster, to teach 12 poor children, especially orphans..."

The pupils were to read prayers three times a day and were to receive an education until they reached the age of sixteen.

This was the first attempt to provide some kind of formal education for children in Dolgellau.

However, by the middle of the nineteenth century, Dolgellau was the main town in the county of Merioneth with a population of over 2,000 people. By that time, there were four schools in the town. As well as the Free School or Grammar School mentioned above, there was a British School, a National School with an Infants' School held in the School House.

It is possible to gain an insight into the state of education at the time from the detailed descriptions available in the Government Report of the Commissioners on Education in Wales, the so called 'Blue Books', which were published in 1847.

The British School was purpose built and provided education for the children of nonconformists. There was one teacher, 45 girls and 88 boys. A total of 22 children were monitors. The cost was 1d per week for those who could afford it, and the subjects taught were Scripture, the 3 Rs, Geography, History and Music.

The National School or the Church School was also purpose-built with a junior and mixed section and an Infants School. In 1847, the school had 66 girls and 58 boys on its books. 7 children were monitors. As well as Scripture, the subjects included Geography, English Grammar and Music. Lessons cost 1d per week, but only a ½d if there were more than three children in the family.

The Elementary Education Act, 1870 (Forster's Education Act), established School Boards, which were elected locally with powers to raise local tax and the right to establish non-denominational schools known as Board Schools. The Pont-yr-Aran Infants' School built in 1886, is one such school.

Following on from the re-organisation of elementary education, the next step was to consider the overall state of secondary education in Wales. As a result, The Welsh Intermediate Education Act was passed in 1889. It was this act that was responsible for establishing the old school on the site of Ysgol y Gader – the Boys' Grammar School or County School. Secondary Education for girls, however, had already been partly provided when Dr Williams' Endowed School for Girls opened its doors in 1878.

This arrangement continued, more or less, until 1962 when Ysgol y Gader was opened as a comprehensive school providing secondary education for all boys and girls over eleven in the area.

EDUCATION

5

5. Ysgol y Sir i Fechgyn, Dolgellau. Tŷ'r Ysgol, sef tŷ'r Prifathro a phreswylwyr a agorwyd yn swyddogol yn 1909 yn nyddiau cynnar Mr John Griffith yn brifathro. Y pensaer oedd Lockwood a'i Feibion, Caer.

5. Dolgellau County School for Boys. The Headmaster's house with boarding accommodation which was opened officially in 1909. The architects were Lockwood & Sons, Chester.

6. Disgyblion yr Ysgol Sir tu allan i fynedfa'r adeilad gwreiddiol, c.1905.

6. Pupils of the County School outside the entrance of the original building, c.1905.

6

7. Disgyblion yr hen Ysgol Ramadeg, Eglwysig ym Mhenbryn yn 1888. Tynnwyd y llun adeg y Nadolig gan ffotograffydd cynnar yn y dref, W Latham Whitehouse. Sylwer ar yr hetiau a oedd yn rhan hanfodol o'r wisg ysgol.

7. Pupils at the old Church Grammar School in Penbryn in 1888. The photograph was taken at Christmas time by W Latham Whitehouse, an early studio photographer in the town. Note the mortar board hats which were part of the school uniform.

8. Clawr cylchgrawn hen Ysgol Ramadeg Dolgellau, 1890/1891.
8. Cover of the old Dolgellau Grammar School Magazine, 1890/1891.

9. Disgyblion tu allan i'r Ysgol Sir newydd. Saif y prifathro, Mr Arthur Clendon ar y chwith gyda'i ddau athro cynorthwyol , Mr E Clwyd Jones a Mr Robert Jones ar y dde, c.1903

9. Pupils outside the new County School. The headmaster, Mr Arthur Clendon is standing on the left hand side with the second and third masters, Mr E Clwyd Jones and Mr Robert Jones, on the left, c.1903.

10. Tîm pêl-droed Ysgol Ramadeg Dolgellau, 1896. [Llun gan Charles H Young, County Studio, Ffos y Felin (ar safle hen siop gig M Pullin).]

10. Grammar School football team, 1896. [Photograph by Charles H Young, County Studio, Smithfield Street (on the site of M Pullin's butcher's shop).]

11. Tîm Criced Ysgol Ramadeg Dolgellau 1899.

11. The Grammar School Cricket Team, 1899.

12. Cân Ysgol a gyfansoddwyd gan y Parch Edmund O Jones, Llanidloes.

12. School Song composed by the Rev Edmund O Jones, Llanidloes.

12

"THE CALL OF THE SCHOOL."

Words written for the Dolgelley School by the Rev. Edmund O. Jones, M.A., Llanidloes.

Do you hear it, boys, the call of the School,
　As it comes from the days gone by?
He is never a chip of the good old block
　Who fails to make swift reply.
"I teach you Latin and Greek," she cries,
　"And of ologies not a few;
But 'tis all in vain if you do not learn
　To be steady and straight and true.

　So answer, lads, give answer boys,
　　To the old School's call to you:
　We will never shame Dolgelley's name,
　　But be steady and straight and true.

And school days over my sons go out
　In the world their part to play,
In manse or office or upland farm
　And in many a varying way;
And some as scholars may make a name,
　And dunces their may be too;
But I hail all as sons who have heard my call
　And are steady and straight and true.

　So answer lads, give answer boys, &c.

Headmasters many have ruled o'er me
　Since first I came to my own,
And some will live on the roll of fame
　So long as Dolgelley's known.

13

13. Tîm Rygbi Ysgol Ramadeg y
Bechgyn, 1957/8.
13. Boys' Grammar School Rugby
Team, 1957/8.
Cefn Back: F Pearson, A Hughes,
M Evans, C Bowden, T Roberts,
White, W Parry
Canol Centre: E Jones, G J Davies,
S Hughes, T Hughes G M Lloyd,
Ll Williams
Yn eistedd Seated:
Jones, D Edwards

14

14. 1959
Disgyblion Ysgol Ramadeg y
Bechgyn a gymerodd ran yn y
ddrama *Richard of Bordeaux* gan
Gordon Daviot (alias Josephine
Tey). Hwyrach eich bod yn
adnabod ambell i wyneb?

14. 1959
Pupils of the Boys Grammar
School who took part in the
play, *Richard of Bordeaux* by
Gordon Daviot (alias Josephine
Tey). Perhaps you recognise one
or two faces?

EDUCATION

15. Disgyblion Ysgol Dr Williams i ferched tu allan i brif fynedfa yr adeilad gwreiddiol, c.1885. Ysgol breifat oedd Ysgol Dr Williams ond trwy gytundeb gyda'r Awdurdod Addysg Lleol, derbyniwyd disgyblion dyddiol o'r ardal yn niffyg unrhyw drefniant arall i roi addysg uwchradd i ferched. Parhaodd y cytundeb hwn hyd 1962 pan sefydlwyd ysgol gyfun newydd yn y dref, sef Ysgol y Gader.

15. Pupils of Dr Williams' School for Girls taken outside the entrance to the original school building, c.1885. Dr Williams' School was a private institution but by agreement with the Local Education Authority, day pupils were admitted from the area, there being no other arrangement to provide secondary education for girls. The agreement continued until 1962 when a new comprehensive school, Ysgol y Gader, was established in the town.

16. Merched Ysgol Dr Williams wrth eu gwaith, c. 1930.
16. Dr Williams' School Girls at their desks, c. 1930.

17. Gweler estyniad sylweddol i adeilad yr ysgol a gwblhawyd yn 1906.
17. Note the substantial extension to the school building, completed in 1906.

ADDYSG

1962

18. Plac yn dangos bathodyn newydd Ysgol y Gader.
18. Plaque showing the new Ysgol y Gader badge.

19. Côr y merched ar achlysur agor Ysgol y Gader,
10 Hydref 1962.
19. Girls School Choir at the opening of Ysgol y
Gader, 10 october 1962.

20. Staff o flaen y fynedfa i'r ysgol newydd, c.1965.
20. Staff in front of the main entrance to the new
school, c.1965.

Rhes flaen Front row: (o'r chwith from left):
Ms Elizabeth Jones, Ffrangeg French; Mr J Eurfyl
Jones, Prifathro Headmaster; Tony Tam, preswylydd
boarder; Alun Davies, Ymarfer Corff PE; David
Kirkman, Mathemateg Maths

Rhes ganol Middle row: Mrs Beryl Jones,
Ysgrifenyddes Secretary; Gwyndaf Roberts,
Amaethyddiaeth Agricultural Science; Mr John
Bond, Daearyddiaeth Geography; Gwilym Guest,
Mathemateg Maths; Geraint Edwards, Cymraeg
Welsh; Hefin Williams, Cymraeg a rhai pynciau eraill
Welsh and other subjects

Rhes gefn Back row: Mrs Menna Thomas, Bioleg
Biology; Mr E W Roberts, Cemeg Chemistry; Mr Ivor
Jones, Ffiseg Physics

EDUCATION

14

21

21. Carfan Tîm Rygbi Ysgol y Gader, 1963/1964.

21. Ysgol y Gader Rugby First Team squad, 1963/1964.

Cefn, chwith i'r dde
Back, left to right
Iwan Lewis-Jones, Gwilym Antur Edwards, Barry Jones, Peter Cleverley, Douglas Cox, Martin Jenkins, Idwal Davies, Hefin Williams, Alun Davies, Athro Chwaraeon PE Master

Canol Middle: Newell White, Alun Roberts, Paul Jenkins, V P Read, David Rice, Terry V Rowlands, Bryner Jones

Blaen Front: Alan Richards, W T Isaac, Huw Eden Williams, David Hughes

22

22. Ysgol y Gader, 1962 [trwy ganiatâd LlGC].
22. Ysgol y Gader, 1962 [by permission of the NLW].
23. Celebrating the 300th Anniversary of Dr John Ellis' endowment.

YSGOL UWCHRADD DOLGELLAU

23 **athlu Trichanmlwyddiant gwaddoli'r Ysgol**

GAN DR. JOHN ELIS
RHAGFYR 10fed a'r 11eg, 1965

Dydd Gwener am 2 o'r gloch yn Eglwys Sant Mair
GWASANAETH DATHLU — Anerchiad gan Arglwy
Esgob Bangor.

Dydd Sadwrn am 2 o'r gloch ar y Marian
GEM RYGBI — Yr Ysgol v. Yr Hen Fechgyn

Nos Sadwrn yn Neuadd yr Ysgol am 6 o'r gloch
Y CYN-DDISGYBLION YN DATHLU
Llywydd: Mr. A. M. Rees, M.A.

Dr. Gwilym Pari Huws,
Hen Golwyn.

Dr. R. W. Edwards, Dolgellau.
Yr Archdderwydd Gwyndaf,
Llandudno.

Mr. D. W. Jones-Williams,
Dolgellau.

Dr. T. Aelwyn Roberts, Aberyst
wyth.

Mr. J. Eurfyl Jones, B.A.. B.Sc.

Paned a Sgwrs

CROESO I BAWB O GAREDIGION YR YSGOL

24. Plant yr Ysgol Brydeinig a sefydlwyd ar gyfer anghydffurfwyr, c.1905. Âi'r eglwyswyr i'r Ysgol Genedlaethol.

24. Children from the British school established for non-conformists, c.1905. Anglicans went to the National School.

25. Dosbarth o blant yr Ysgol Genedlaethol (Ysgol yr Eglwys) a leolid ger Y Bont Fawr, c.1910. Agorwyd yr ysgol yn 1846 a chaewyd hi yn 1969.

25. Children from the Anglican National School, which was located above the main bridge opposite the Council School, c.1910. The school was opened in 1846 and closed in 1969.

EDUCATION

26. Plant Ysgol Henfelin yn 1900. Ysgol eglwys oedd hon yn wreiddiol, er bod nifer o blant o deuluoedd anghydffurfiol Penucha'r dref yn ei mynychu. Agorwyd yn 1879 a chaewyd yn y 1920au a bu'n fan cyfarfod i weithgareddau ar ôl hynny fel y band, er enghraifft, a fu'n ymarfer yno. Addaswyd yn dŷ yn y 1970au ond mae wedi'i dymchwel erbyn hyn a cheir llety cyngor ar y safle.

26. Children of Henfelin School in 1900. It was originally built as a Church School in 1879 and closed in the mid 1920s. Children from nonconformist homes in the Meyrick Square and South Street area also frequented the school. After its closure it was used for various activities such as band practice. It was converted into a residential property in the 1970s, but has now been demolished and replaced by council accommodation.

27. Dosbarth o ferched tu allan i'r hen Ysgol Fwrdd ar waelod y rhiw i Dabor a Phlas yn Brithdir. Hon oedd yr hen Ysgol Brydeinig. Mae sôn yn y llyfr lòg am y plant yn gorymdeithio trwy'r dref ar 27 Mawrth 1918 o'r hen ysgol hon i'r ysgol newydd, sef yr ysgol gynradd bresennol.

27. A girls' class outside the Board School near the turning for Tabor and Plas yn Brithdir. This was originally the old British School. It is noted in the school log book that the pupils marched from this old school on 27 March 1918, through the town to the new council school, the present junior school.

ADDYSG

28. Plant Ysgol yr Eglwys, Ysgol y Bont ar lafar, c.1960. Mae'r prifathro, Mr Davies, yn sefyll ar y chwith ac mae'r athrawon eraill, Miss Gwenfron Hughes a Mrs Dorothy Lloyd Jones ar y dde.

28. School photograph of the National School which was located on the site of the present Infants' School, c.1960. The headmaster, Mr Davies, is standing on the left and on the right are the other teachers, Miss Gwenfron Hughes and Mrs Dorothy Lloyd Jones.

29. Llun o'r dosbarth hynaf yn Ysgol y Cyngor ym Mhenarlâg, c.1930. Ar y chwith saif Mr J M Pugh (1892-1976), 'Pugh Bach' ar lafar. Bu Mr Pugh yn athro yn yr ysgol am flynyddoedd maith. Ar y dde mae'r prifathro, Mr R E Edwards. Ymddengys i'r llun gael ei dynnu yng nghefn yr ysgol.

29. Photograph of the senior class at the Council School at Penarlag, c.1930. The teacher standing on the left is Mr Pugh (1892-1976), known locally as 'Pugh Bach' who taught generations of Dolgellau children. On the right is Mr R E Edwards, the headmaster. The photograph appears to have been taken at the rear of the school.

EDUCATION

Yn draddodiadol cynhelid chwaraeon ar Y Marian Mawr. Hwn oedd y gofod mwyaf oedd ar gael ar gyfer gemau a chwaraeon o unrhyw fath yn y dref. Roedd yno dalwrn ceiliogod, hyd yn oed, ar un adeg. Amgaewyd y tir comin hwn yn bwrpasol ar gyfer trigolion Dolgellau yn 1811. Yng ngeiriau'r ddeddf:

"… in trust for the recreation of the Public … ."

Rheolir hyd heddiw gan ymddiriedolwyr.

Yn ystod teyrnasiad Elizabeth I cafwyd achos hynod ddifrifol yn digwydd. Llofruddiwyd Edward ap Dafydd neu David, gwas i Hugh Nanney YH, Nannau tra oedd yn chwarae bowls ar y Marian. Pwy feddyliai y gallai bowlio fod yn gêm mor beryglus! Er mae lle i gredu mai anghytundeb rhwng teulu'r Llwyn a theulu Nannau ar y pryd oedd asgwrn y gynnen.

Chwaraeid criced yn gynnar iawn yma. Credir i'r gêm gael ei chyflwyno gan Dr Temple, Archesgob Caergaint a William Payne a hynny yn ystod yr 1840au. Yr enw ar y chwaraewyr ers talwm oedd *colejans*, hynny yw, benthyciad o'r Saesneg, *collegians*, sef myfyrwyr o'r hen brifysgolion a fyddai'n dod yma i astudio ar gyfer eu harholiadau. Yn eu hamser hamdden byddent yn chwarae'r gêm newydd hon yn erbyn hogiau'r dref.

Yn 1848, ceir y Dolgelley Cricket and Reading Room yn cyhoeddi'i rheolau. Tâl aelodaeth oedd £1.00 gyda 5s yn mynd tua'r Clwb Criced. Yr ysgrifennydd cyntaf oedd William Payne, Dolgellau. Ymddengys fod y clwb bowlio wedi rhoi'r gorau i'w llain gan drosglwyddo'r hawliau i Glwb Criced a Darllen y dref.

Ar 30 Ebrill 1849, cyhoeddwyd y canlynol:

CRICKET MATCH

The Dolgelley Cricket Players, will be happy to play a Friendly Match, with any eleven gentlemen who may meet together in the Town and Neighbourhood of Machynlleth during the ensuing season.

Bu John Vaughan Nannau yn Llywydd ac yn frwdfrydig o blaid y clwb am bron i 30 mlynedd gan fynd o'i ffordd i fynychu'r cinio blynyddol yng Nghwesty'r Llew Aur. Arferid cynnal y cinio blynyddol ym mis Mai yng Ngwesty;r Llew Aur ac yna'r adloniant blynyddol yn ystod mis Tachwedd yn yr hen Neuadd Idris gyda'r aelodau yn cymryd rhan mewn sgetshis a dramâu byrion.

Gŵr a fu'n gwneud llawer â'r clwb yn ystod ei arhosiad yn Nolgellau oedd Mr H W Bromby a fu'n ysgrifennydd cydwybodol am sawl blwyddyn. Un arall a fu'n gefn i'r clwb oedd J R S Furlong a fu'n athro Ffrangeg a Mathemateg yn yr Ysgol Ramadeg. Yn fwy diweddar, mae llawer ohonom yn cofio cyfraniad Mr Leeds, a'r dyddiau hyn, ei ŵyr, Phil Leeds, a Pat Jefferson.

Fodd bynnag, y brif gêm a chwaraeid yn Ysgol Ramadeg Dolgellau yn ystod y gaeaf oedd rygbi a oedd yn gêm weddol draddodiadol yn yr ysgolion gramadeg a bonedd. Mae'r traddodiad hwn yn parhau.

Chwaraeid hoci hefyd ar y Marian ar ddechrau'r ganrif ddiwethaf. Ond, yn fwy diweddar mae pêl-droed wedi dod yn fwy poblogaidd. Bu tîm o Ddolgellau yn chwarae yn y *Welsh League North* yn ystod y 50au a'r 60au, er mai ychydig iawn o'r chwaraewyr oedd yn lleol o'i gymharu â thimau heddiw.

Traditionally, sports of all kind took place on the Marian. This was the largest space available in the town for various games and general recreation. There was even a cockpit located there at one time. The land, which was originally common land, was enclosed for the enjoyment of the people of the town in 1811. In the words of the Act:

"… in trust for the recreation of the Public … ."

The Marian is in fact managed to this day by trustees.

During the reign of Elizabeth 1, an extremely serious event took place. One Edward ap Dafydd or David, a servant to Hugh Nannau, JP, was murdered while playing bowls on the Marian. Who would have thought that bowling could be such a dangerous game! Although there is some credence to the fact that the unfortunate event was due to the ongoing hostilities between factions of the Nannau and Llwyn families.

Cricket was played on the Marian from a relatively early period and is believed to have been introduced in the 1840s by Dr Temple,

a former Archbishop of Canterbury and William Payne of Dolgellau. The local term for cricketers at one time was 'colejans', borrowed from the English 'collegians', that is, students from the old traditional universities who stayed in the area to study for their examinations. In their spare time, they would play this 'new' game against the young men of the town.

In 1848, the Dolgelley Cricket Club and Reading Room published their book of rules. Membership fee was £1.00 with 5s going towards the cricket team. The first secretary was William Payne. It appears that the bowling club surrendered their green and all rights to the town's Cricket and Reading Club

On 30 April 1849 the following information was published:

CRICKET MATCH
The Dolgelley Cricket Players will be happy to play a Friendly Match, with any eleven gentlemen who may meet together in the Town and Neighbourhood of Machynlleth during the ensuing season.

John Vaughan, Nannau was appointed President and was an enthusiastic supporter of the club for almost thirty years. He would always go out of his way to attend the annual club dinner at the Golden Lion Hotel. The annual dinner was held in May and the annual entertainment would take place in November in the old Neuadd Idris, with members taking part in sketches, songs and small plays.

One who took a very keen interest in the club whilst at Dolgellau was Mr H W Brumby who proved to be a very supportive secretary. Another enthusiastic member was Mr J R S Furlong who taught French and Mathematics at the Boys' Grammar School. In more recent times

many will recall the support given by Mr Leeds over many years and today by Phil Leeds and Pat Jefferson.

The main game played at Dolgellau Boys Grammar School during the winter was rugby. Rugby football was seen traditionally as a character forming game for grammar and public school boys. Ysgol y Gader continued this tradition, with the girls playing netball during the winter months. Dr Williams' School also played cricket at Penycoed.

Hockey was also played on the Marian at the turn of the last century, but recently football or soccer has become increasingly more popular. A Dolgellau side played in the Welsh League North during the 1950s and early 1960s, although few of the players were local compared to those playing in the Cambrian Coast League. However, at the annual general meeting of the Dolgellau Football Club, a decision was taken to withdraw from the Cambrian Coast League as running and managing two clubs had became too much of a burden for the committee to bear.

30. Roedd tynnu rhaff yn rhan o 'r Gemau Olympaidd o 1900 hyd 1920. Dyma dîm buddugol Cwmni 'D' o Ail Fataliwn Catrawd y Cymry Brenhinol, yn cynnwys Preifat Roberts, 3 Ffordd y Gader (rhes gefn, cyntaf ar y chwith). Hwyliodd y Gatrawd hon i Ffrainc i ymuno â'r Rhyfel Mawr ychydig ar ôl hyn.
30. Tug-of-war was an Olympic sport from 1900 to 1920. This winning team from 'D' Company, Second Battalion of the Royal Welsh Regiment included Private Roberts, 3 Cader Road (back row, first left). The Battalion sailed for France to take part in the Great War shortly afterwards.

31. Cofnodion cyfarfod o Ymddiriedolwyr y Marian Mawr yn 1877 lle maent yn trafod gosod y tir ar gyfer ei bori. Sefydlwyd yr Ymddiriedolaeth yn sgil Deddf Amgáu Tiroedd ym mhlwyfi Dolgellau a Llangelynnin 1811. Hon oedd y ddeddf a oedd yn gyfrifol am amgáu y Marian Mawr er mwyniant trigolion Dolgellau.

31. Minutes of a meeting of the Marian Mawr Trustees in 1877 where they discuss letting the land for grazing. The Trust was established under 'An Act for inclosing Lands in the Parishes of Dolgelley and Llangelynin' 1811. This Act was responsible for enclosing the Marian Playing Field for the recreational use of Dolgellau residents.

32. Gêm griced ar Y Marian ar droad y ganrif ddiwethaf. Codwyd y pafiliwn pwrpasol ar y dde i'r chwaraewyr yn 1897 yn rhodd gan Charles Reynolds Williams, Dolmelynllyn.

32. Cricket on the Marian at the turn of the last century. The pavilion in the background to the right of the players was built and donated by Charles Reynolds Williams of Dolmelynllyn in 1897.

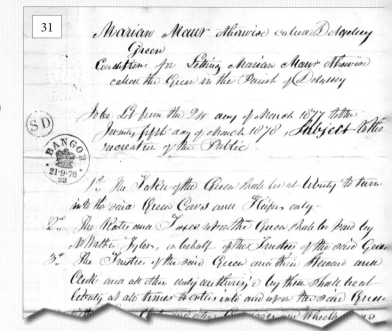

33

33. 1901. Tîm Criced Dolgellau tu allan i'r Pafiliwn oedd newydd ei godi ychydig flynyddoedd ynghynt. DCC yw'r llythrennau ar gap y gŵr sydd yn eistedd ar y chwith.

33. 1901. Dolgellau Cricket Team outside the Pavilion which had only been in place for a few years. The letters on the cap of the gentleman sitting on the left are DCC.

34. Tennis ar Y Marian. Lleolwyd yr hen faes tu hwnt i fynwent newydd yr eglwys. Amgaewyd ar un adeg gan wal gyda drws yn fynedfa. Sylwer ar hyd sgertiau'r merched ar ddechrau'r ganrif ddiwethaf.

34. Tennis on the Marian. The old tennis ground used to be located beyond the new church burial ground. It was walled off at one time and entrance was gained through a door in the wall. Notice the length of the ladies' skirts in Edwardian times.

34

SPORTS & RECREATION

Trafodwyd y syniad o gael cwrs golff yn Nolgellau yn gyntaf yn gyhoeddus ym 1909 gan rai o bobl flaenllaw y dref yn fuan ar ôl i'r 'Social Club' gael ei sefydlu. Sefydlwyd Clwb Golff Dolgellau (neu Hengwrt) ym 1911 ger yr Hen Efail, islaw Pencefn a chynhaliwyd y cyfarfod cyffredinol cyntaf ar 24 Chwefror yr un flwyddyn. Y Cadfridog John Vaughan oedd y darpar lywydd a phenodwyd John Beale, Bryntirion, Bontddu a'r Lefftenant-cyrnol G F Scott, Penmaenuchaf yn is-lywyddion. J Haydn Morris oedd y capten cyntaf.

The idea of having a golf course at Dolgellau was first raised publicly in 1909 by a few eminent town residents a few years after the Social Club had been established. The Dolgellau or Hengwrt Golf Club was established in 1911 at Hen Efail, below Pencefn and the first general meeting was held on 24 February of that year. The president elect was General John Vaughan and initially Charles Beale, Bryntirion, Bontddu and Lt Col G F Scott, Penmaenucha were appointed vice presidents. The first captain was J Haydn Morris.

35

36

35. 1931, Gorffennaf 12. Criw o olffwyr o gwmpas y twll. Sylwer ar wisg ffurfiol y cyfnod, yn cynnwys clôs pen-glin.

35. 1931, July 12 Group of golfers putting for the hole. Note the formal dress code of the period with plus-fours trousers.

36. 1923, Medi. Merch yn chwarae ar y nawfed twll gyda'r clwb i'w weld ar y chwith.

36. 1923, September. Lady golfer on the 9th green with club house on the left hand side of the photograph.

CHWARAEON

37. Tîm dartiau tafarn yr Unicorn ar 1af o Fawrth, 1957, yn dathlu ennill tlws y cynghrair. [Llun trwy ganiatâd LlGC.]
37. The Unicorn darts team on 1st March, 1957 with the League trophy. [Picture by permission of the NLW.]

38. Bu tîm pêl-droed Dolgellau, neu *Dolgelley Albion* fel y'i gelwid yn y 1930au, yn chwarae pêl-droed am rai blynyddoedd yng Nghyngair y *Cambrian Coast* yn erbyn timau fel Tywyn, Machynlleth, Y Bala, Cricieth a Harlech a bu cystadlu brwd yn flynyddol hefyd am gwpan y *Cambrian Coast*. Un gŵyn a glywid yn y dref ar y pryd oedd bod Ysgol y Bechgyn yn chwarae rygbi yn hytrach na phêl-droed ac felly nad oedd digon o chwaraewyr ifanc yn dod trwodd i dîm pêl-droed y dref.

38. Dolgellau football team, or Dolgelley Albion as it was known in the 1930s, played for years in the Cambrian Coast League against teams such as Tywyn, Machynlleth, Bala, Cricieth and Harlech, and there was keen competition also each year for the Cambrian Coast Cup. A common complaint heard at this time was that the Boys' School played rugby instead of football and that as a result there were not enough young players coming through to the town's football team.

39

39. Tîm hoci Dolgellau yn 1905. Gêm a fu'n boblogaidd ar un adeg gyda phobl ifanc y dref a chwaraeid gemau'n rheolaidd rhwng Dolgellau a'r trefi cyfagos.

39. The Dolgellau hockey team in 1905. Hockey was once a popular pastime with young people in the town and matches were played regularly between Dolgellau and the neighbouring towns.

40. Criced oedd y gêm ar gyfer yr haf. Dyma un o dimau profiadol y dref o ddechrau'r pumdegau yn cynnwys o'r cefn (o'r chwith): J Jones, R. Pugh, D B Francis, R W Parry, D C Owen, G Mendelsohn, M Meredith, R R.Evans, D Griffiths, M Griffiths, I Davies, H Roberts, R Jones (Llun bach: D M James, capten)

40. Cricket was very much the summer game played on the Marian. Here we have an experienced side from the 1950s including (from back/left above): J Jones, R. Pugh, D B Francis, R W Parry, D C Owen, G Mendelsohn, M Meredith, R R.Evans, D Griffiths, M Griffiths, I Davies, H Roberts, R Jones (Inset: D M James, captain)

40

41. Tîm Criced Dolgellau, c.1970. Y trydydd yn y rhes gefn o'r chwith yw Alun Pugh. Gweler ei dad, R [Bobby] Pugh, ail o'r chwith yn y rhes gefn yn y tîm o'r pumdegau ar y dudalen gyferbyn.

41.Dolgellau Cricket Team c.1970. Note A Pugh, standing third from left whose father, R [Bobby] Pugh, stands second from left (back row) in the 1950s team on the opposite page.

41

42. Clwb Criced NALGO, Dolgellau.
Yn sefyll: Geraint ac Aneurin Humphreys, ail a thrydydd o'r chwith gyda Mr Leeds ar y pen yng ngwisg y dyfarnwr
Yn eistedd: Iorwerth Hedd Williams (ail o'r chwith)

42. Dolgellau NALGO Cricket Team
Standing: 2nd and 3d from left, Geraint and Aneurin Humphreys with Mr Leeds at the end in his umpire coat
Sitting: Iorwerth Hedd Williams (2nd from left)

43

43. 1939/40 Tîm Rygbi Ysgol Ramadeg y Bechgyn, Dolgellau. Datblygodd tîm rygbi yn y dref dan yr enw Yr Hen Ramadegwyr.
43. 1939/40 Dolgellau Grammar School Rugby Team. The team established in the town was initially called The Old Grammarians.

Y Diwydiant Gwlân

Gwartheg oedd prif fesur cyfoeth y Celtiaid. Fodd bynnag, roedd cadw defaid yn ddiwydiant llewyrchus yn nhirlun Cymru ac o'r 12fed ganrif ymlaen, datblygwyd diwydiant gwlân Sir Feirionnydd i raddau helaeth gan ddyfeisgarwch y mynaich Sistersaidd. Sefydlwyd Abaty Cymer, neu 'Kymer deu dyfyr', yn 1198, a safai, fel mae'r enw'n awgrymu, yn ymyl rhyd ger cymer afonydd Wnion a Mawddach. Y noddwyr oedd Maredudd ap Cynan, Arglwydd Meirionnydd, a'i frawd Gruffydd. Daeth y mynaich o Abaty Cwm Hir, llecyn diarffordd yn yr hen Sir Faesyfed. Er gwaethaf y ffaith mai cymuned fechan oedd yng Nghymer, roedd yr abaty, serch hynny, yn berchen ar gwpan a phlât cymun arian o wneuthuriad arbennig, a guddiwyd yng Nghwm Mynach ger Bontddu adeg y Diddymiad yn 1547. Darganfuwyd y darnau hyn gan fwyngloddwyr aur yn gweithio ar ran T H Roberts, y gwerthwr nwyddau haearn â siop yn Nolgellau. Yn dilyn stori hynod ddifyr, maent bellach ar gadw yn Amgueddfa Cymru yng Nghaerdydd. Yn 1209, derbyniodd yr abaty Siarter gan Lywelyn Fawr, Tywysog Gwynedd a ffaith ddiddorol yw bod nifer o'r enwau lleoedd a nodir ynddi yn bodoli hyd heddiw. Mae enwau caeau ger yr abaty, megis Cae Stabal (o'r Saesneg, *staple*) a Chae Deintur yn adlewyrchu pwysigrwydd y diwydiant gwlân.

Ceir cofrestr o gladdedigaethau ar gyfer Eglwys Dolgellau sydd yn dyddio o 1678 i 1708 yn nodi claddu mewn gwlanen. Pasiwyd deddf yn 1666 a fodolai hyd 1853 yn mynnu bod pobl yn cael eu claddu mewn gwlân lleol yn hytrach na thecstiliau tramor. Y syniad, wrth gwrs, oedd hyrwyddo'r farchnad leol.

Byddai bron pob bwthyn yn yr ardal yn berchen ar ffrâm gribo i baratoi'r gwlân amrwd ar gyfer y cymal nesaf o'r broses. Gwneid hyn yn draddodiadol ar droell nyddu gan droi'r gwlân yn edafedd.

Yna, byddai'r edafedd yn cael ei droi'n frethyn ar wŷdd llaw. Y cam nesaf fyddai'r broses pannu gyda'r brethyn neu'r we yn cael ei bannu neu'i dynnu ato a'i dewhau. Roedd hyn yn cynnwys ei drochi mewn wrin, yna *fuller's earth* (wed'i fewnforio o Gaint trwy'r porthladd yn Abermaw) ac yn olaf, ei olchi mewn dŵr

44. Y gwehydd wrthi'n gweithio'r gwŷdd llaw, sef peiriant a ddefnyddid i greu brethyn. Yn ystod y 18fed a dechrau'r 19eg ganrif byddai sawl cartref yn berchen ar beiriant o'r fath cyn i'r gwaith gael ei leoli fwyfwy mewn ffatrïoedd yn sgil y Chwyldro Diwydiannol.

44. The weaver sitting at his handloom which was a machine used to produce cloth. This was very much a cottage industry during the eighteenth and early nineteenth centuries before industrialisation saw the factories take over.

a sebon. Ar ôl sychu'r brethyn a'i ymestyn ar ddeinturiau mewn caeau agored fel Cae Deintur lle mae Swyddfeydd Penarlâg heddiw, anfonid ef i'r farchnad. Swydd arall bwysig oedd un y lliwydd. Cesglid deunydd naturiol megis cen, rhedyn, grug, eithin a llus er mwyn lliwio'r brethyn.

Bu chwyldro yn y diwydiant gwlân pan ddyfeisiwyd morthwylion pannu arbennig yn y pandai. Bu'r ddyfais hon yn weddol ddiweddar yn cyrraedd Meirionnydd, ond yn araf deg sefydlodd enw da Dolgellau fel canolfan fasnach brethyn, er yn aml bu'r grefft neu'r diwydiant cartref yn cydredeg ochr yn ochr â'r ffatri. Daeth y pandy yn nodwedd amlwg ar afonydd yr Aran a'r Glywedog gyda 12 ohonynt erbyn y ddeunawfed ganrif.

Un anfantais arwyddocaol iawn i'r cynhyrchwyr lleol, fodd bynnag, oedd y ffaith bod rhaid gwerthu'r wlanen dros y ffin yn Lloegr, yn gyntaf yng Nghroesoswallt ac yna i'r 'Drapers Company' yn Amwythig, a lwyddodd i dderbyn monopoli ar y gwerthiant yn 1565. Wedi clymu'r brethyn yn bynnau, câi'r rhain eu cario ar geffylau i'r farchnad yn Lloegr. Yn anffodus, o'u safbwynt hwy, cefnogodd Cwmni Dilledyddion Amwythig yr ochr anghywir yn y Rhyfel Cartref, ac o ganlyniad, bu trefi fel Dolgellau, dros amser, yn elwa ar lwyddiant eu diwydiant gwlân lleol.

Y Diwydiant Crwyn

Nid yw'n ryfeddod fod tanerdai wedi'u sefydlu yn y dref farchnad hon yn sgil datblygiad a llwyddiant y diwydiant gwlân. Wedi'r cyfan, roedd popeth a oedd ei angen ar gyfer datblygu'r diwydiant wrth law. Dŵr ar gyfer pŵer, cyflenwad digonol o grwyn, lleol ar y dechrau ac yna rhai wedi'u mewnforio, a digonedd o risgl pren y dderwen. Roedd rhisgl yn rhan annatod o'r broses o baratoi'r crwyn ac roedd ei gasglu'n rhan o economi nifer o ffermydd lleol yn ystod y bedwaredd ganrif ar bymtheg. Cesglid y rhisgl, yna fe'i cedwid mewn adeiladau allanol rhag y tywydd. Gelwid y rhain yn farcdai neu dai barc. Wedi iddynt gael eu golchi a'u glanhau,

gosodid y crwyn mewn pyllau calch oedd yn cynnwys cymysgedd toddedig o wahanol gryfder, yn dibynnu ar y math o ledr a oedd ei angen. Yna, byddai'r crwyn yn cael eu trin a'u llathru gan y cwriwr cyn iddynt gael eu cyflwyno i'r cyfrwywyr a'r amryfal gryddion a gwneuthurwyr esgidiau. Bu dyfodiad y trên yn 1868 yn hwb sylweddol i'r diwydiant lledr trwy hwyluso'r gallu i'w allforio. Bu tanws David Meredith yn ffynnu yng nghanol y dref hyd y 1970au.

Argraffu

Datblygodd argraffu yn ddiwydiant o bwys yn y dref yn ystod y bedwaredd ganrif ar bymtheg a dechrau'r ugeinfed ganrif yn enwedig fel y bu gwelliant mewn llythrennedd yn gyffredinol a'r newidiadau yn nhrefn addysg.

Yr argraffydd cyntaf y gwyddom amdano yw Thomas Williams o Lanfachreth. Porthmon wedi ymddeol ydoedd, a fu o bosibl yn cludo llyfrau yn ôl i gwsmeriaid lleol o Amwythig a chanolfannau eraill, efallai, ar ei deithiau dros y ffin. Rhywsut llwyddodd i ennill digon o wybodaeth, diddordeb ac arbenigedd i sefydlu ei hun fel argraffydd yn y dref. Cyffredin oedd safon ei waith ar y cyfan, ond yn ffodus cymerodd brentis addawol, Richard Jones o Fryntirion, Y Bontddu. Daeth Jones, a oedd yn Fethodist Wesleaidd, yn argraffydd i Lyfrfa'r Wesleaid Cymraeg a bu'n argraffu llyfrau, cyfnodolion yn ogystal â gwaith cyffredin pob dydd. Bu galw cynyddol am ddeunydd printiedig yn sgil dylanwad crefydd ym mywyd Cymru yn ystod y bedwaredd ganrif ar bymtheg.

Yn sicr, roedd syched gan bobl am newyddion. Cyn cyfnod yr argraffwyr lleol, byddai newyddion yn cael eu cyhoeddi o ben hen garreg farch yn Y Stryd Fawr.

Yn 1868, fodd bynnag, cyhoeddwyd *Y Dydd* am y tro cyntaf. Papur cenedlaethol ydoedd ar y dechrau, yn gefnogol i syniadaeth y Blaid Ryddfrydol, a'r perchennog oedd William Hughes a fu'n byw yn Mervinian House. Dros amser datblygodd yn bapur lleol yn lledaenu'r newyddion diweddaraf i drigolion y dref.

Roedd Hughes wedi'i brentisio yng ngwaith enwog Thomas Gee yn Ninbych. Roedd Gee yn ffigwr amlwg yng ngwleidyddiaeth Ryddfrydol Cymru yn ystod y bedwaredd ganrif ar bymtheg ac roedd ei bapur, *Baner ac Amserau Cymru* yn llais democrataidd i'r Gymru Cymraeg. Lleolid y wasg i ddechrau yn Y Felin Uchaf gan ddefnyddio dŵr i yrru'r peiriannau. Yng nghanol y ganrif ddiwethaf, fe addaswyd yr adeilad hwnnw yn olchdy stêm, sef 'yr hen londri' ar lafar.

Bu busnes argraffu arall yn y dref. Perchennog a rheolwr Swyddfa'r *Goleuad* oedd E W Evans. Roedd y swyddfa yng Nghae Tanws Bach (Smithfield Lane), a ddaeth yn ddiweddarach yn gartref i'r *Dydd*. Yn ogystal ag agraffu'r *Goleuad*, llais y Methodistiaid Calfinaidd Cymraeg, cychwynnodd Evans bapur newydd wythnosol, *Y Cymro*, cyn iddo gael ei symud i Groesoswallt. Y trydydd busnes argraffu i oroesi i'r ugeinfed ganrif oedd y *Victoria Printing Works* ym Mhant y Pistyll. Argraffdy a ddarparai waith i ofynion busnesau, chymdeithasau a chynghorau lleol oedd hwn yn bennaf, yn cynhyrchu taflenni, biliau, posteri ac yn y blaen. Y perchennog am flynyddoedd maith oedd Edward Williams (Llew Meirion), ffigwr amlwg ym mywyd y dref a cherddor dawnus.

The Woollen Industry

Cattle was the traditional Celtic measure of wealth. However, sheep were well suited to the Welsh landscape and from the 12th century, Merionethshire's woollen industry was driven by the industry of the Cistercian monks. The abbey at Cymer, or 'Kymer deu dyfyr' (the meeting of two waters/rivers), was founded in 1198 and, as its name implies, was built at the ford near the confluence of the rivers Wnion and Mawddach. Established under the patronage of Maredudd ap Cynan, Lord of Meirionnydd, and his brother Gruffydd, the monks came to Cymer from the remote Abbey Cwm

Hir in Radnorshire. Despite being a small community, Cymer possessed an exquisite silver gilt chalice and paten, which were apparently hidden in the Cwm Mynach valley near Bontddu at the time of the Dissolution in 1547. These objects were rediscovered by gold miners prospecting on behalf of T H Roberts, the Dolgellau ironmonger, towards the end of the nineteenth century and, after quite a remarkable story, are now on display at the National Museum of Wales in Cardiff. In 1209 Llywelyn Fawr, Prince of Gwynedd, granted the abbey a charter and many of the places mentioned remain to the present day. Field names near the abbey, include Cae Stabal, Staple (wool fibres) Field and Cae Deintur, Tenter (wooden stretching frames) Field.

An interesting burial register for Dolgellau dating from 1678 to 1708 records 'burials in woollens'. Burials had to use local wool (not 'foreign textiles') under a 1666 Act which was only fully repealed in 1853.

Practically every cottage would have a carding frame to prepare the raw wool for the next stage which was traditionally done by a spinning wheel turning the wool into yarn. The yarn was woven into cloth on a handloom. The cloth then underwent a fulling process by which woven fabric was shrunk and thickened. This included soaking it in urine, then applying fuller's earth (imported from Kent via Barmouth) and finally washing in soap and water. After drying and stretching it on tenters placed in open fields such as Cae Deintur where the Council Offices are located, the cloth was sent to market. The dyer was another important occupation. People would gather natural products such as lichen, bracken, heather, gorse and whinberries to dye the plain cloth.

The woollen industry was revolutionised by the introduction of fulling stocks (woollen mallets) installed in water driven mills. These arrived quite late in Merionethshire, but they slowly established the reputation of Dolgellau as a significant manufacturing centre for cloth, even though the domestic craft

often survived alongside the factory. The *pandy* or fulling mill became a familiar site on the fast flowing rivers Aran and Clywedog with 12 established by the eighteenth century.

A significant disadvantage to local producers was the fact that the cloth had to be traded in England, initially in Oswestry and then by the Drapers Company of Shrewsbury which had been given a monopoly in 1565. The cloth was bound into bales and carried by pack horses out of Wales. The Shrewsbury drapers backed the wrong side in the Civil War and by the 18th century Welsh towns such as Dolgellau began to profit from local woollen industries.

Tanning Industry

Being an important market town, with a developing and significant woollen industry, it is little wonder that tanyards were established in the town. Everything needed was at hand for the development of the tanning industry, – water for power, a plentiful supply of skins, local at first and then imported, and plenty of local oak bark. This was an essential ingredient for preparing the skins and its collection was a part of the local farming economy during the 19th century. Bark would be stripped and then stacked in outbuildings called *tŷ barc* or barkhouse where the bark was protected from the weather. After washing and cleansing, the skins were passed through lime pits containing solutions of varying strengths, depending on the type of leather required. The tanned skins were then treated and polished by the currier before being supplied to the saddler and the myriad boot and shoe makers. The coming of the railway in 1868 gave the industry a huge impetus for exporting the finished leather. The tannery business of David Meredith, for instance, flourished in the very centre of town into the 1970s.

Printing

Printing developed into a significant industry in the town during the nineteenth and early twentieth centuries as more people became literate following the introduction of compulsory education.

The earliest known printer was Thomas Williams of Llanfachreth, a retired cattle drover, who may have brought books back to local clients from Shrewsbury and other centres on his travels. Somehow he picked up enough knowledge, interest and expertise to set himself up as a master printer in the town. However, he took on an apprentice from Bontddu called Richard Jones. Jones, a Wesleyan Methodist, became printer for the Welsh Wesleyan Book Room and published journals, books as well as miscellaneous jobbing work. The overwhelming importance of religion in nineteenth century Welsh life led to an ever growing demand for printed material.

This extended to a thirst for news. Before the arrival of local printers, news would have been declared from an old mounting block (*carreg farch*) located in Eldon Square. In 1868 the first edition of *Y Dydd* appeared. Initially established as a national newspaper with Liberal leanings by William Hughes who resided at Mervinian House, it became the town's source for local news. Hughes had received his apprenticeship at the famous publishers and printers *Gwasg Gee* in Denbigh, established by a remarkable nineteenth century Liberal, Thomas Gee. The press was initially located at Felin Uchaf using water power to drive the machinery. In the middle of the last century, the building was converted into a steam laundry.

Another printing works was run by E W Evans in Cae Tanws Bach (now Smithfield Lane), which later became the home of *Y Dydd*. As well as printing *Y Goleuad*, a mouthpiece of the Welsh Calvinistic Methodists, Evans also started *Y Cymro* newspaper before it moved to Oswestry. The third printing business to survive into the twentieth century was the Victoria Printing Works in Well Street. This was mainly a jobbing printing works, producing general items for businesses and local government such as bills, flyers and posters. The owner for many years was Edward Williams (Llew Meirion), a well known Dolgellau figure who was also an accomplished musician.

DIWYDIANT

45. a 46. Pedoli ger y Marian. Yn ystod yr 1890au roedd pedwar brawd, Hugh, Griffith, Richard a Howell Jones yn gweithio yno ac yn byw gerllaw yn Lôn Las. Gwelir y pedwar yn llun 46 gyda rhai o blant y teulu tu allan i'r efail.

45. & 46. Shoeing a horse at the Smithy near Green Lane around a hundred years ago. During the 1890s four brothers, Hugh, Griffith, Richard and Howell Jones worked there, living nearby in Green Lane. The four appear in picture 46 with children from the family outside the smithy.

47. Melin y Pandy o dan y Wenallt gyda'r Ffatri Wlân tu cefn. Mae pont ac olion y pandy i'w gweld o hyd.

47. Pandy Mill below the Wenallt with the Woollen Factory located behind. A bridge and some of the remains of the fulling mill are still *in situ*.

Tanws Meredith, Awst 1962. Difrodwyd rhai o'r adeiladau dân y flwyddyn ganlynol.
Meredith Tannery, August 1962. Some of the buildings destroyed by fire the following year.

49. Roedd y tanerdai yn gyflogwyr sylweddol yn y dref cyn y Rhyfel Byd Cyntaf, gyda dau danws – Tanws Meredith ger Pont yr Aran a Thanws Morgan yn Hen Felin. Sylwer ar yr amrywiaeth yn oedran y gweithwyr hyn. Goroesodd y diwydiant yn y dref i'r 1980au er nad oedd yr aroglau yn ystod yr haf yn apelio at bawb!

49. The tanneries were substantial employers in the town up to the First World War, with two tanneries – Meredith's near Pont yr Aran and Morgan's by Hen Felin. Notice the wide range of ages in this photograph. The industry survived in the town until the 1980s although the smell in the summer months did not appeal to everyone!

50. Gweithwyr coed ger y dref. Roeddent yn dibynnu ar fôn braich y dyddiau hynny cyn dyfodiad y peiriannau sydd ar gael heddiw i hwyluso'r gwaith.

50. Forestry workers in a wood on the outskirts of town. It was a very labour intensive occupation at the time before the introduction of the machinery available today.

INDUSTRY

51. Felin Isa (ddoe a heddiw). Byddai'r dŵr yn rhedeg o'r felin mewn ffos gydag ochr y stryd i lawr at waelod y Bont Fawr ac yna ymlaen i'r Marian. Bu garej ar y safle am nifer o flynyddoedd a cheir siop yma erbyn hyn.

51. Smithfield Square (as it was and as it is today). The mill used an overshot wheel. The water would then run in a gutter down Smithfield Street to the bridge then on to the Marian. There was a garage on the site for many years which now houses a discount store.

52. Gwaith Gwneuthur Cerbyda Meirionnydd, Ffordd yr Aran, Dolgellau. Ar un adeg roedd yn un o brif gyflogwyr y dref. Yn ddiweddarach, bu'n iard goed sylweddol.

52. Merioneth Carriage Works, Dolgellau. This works was located in Aran Road and was at one time a major employer in the town. It later became a timber yard.

DIWYDIANT

53. Gwaith Aur Gwynfynydd ger Rhaeadr Mawddach, Ganllwyd. Roedd y gwaith hwn ynghyd â'r Clogau, Bontddu ymysg y gweithfeydd aur mwyaf cynhyrchiol a phroffidiol yn ardal Dolgellau. Bu'n cyflogi nifer o ddynion Dolgellau yn ystod blynyddoedd olaf Oes Fictoria. Ceir blas ar fywyd y mwyngloddiwr yn nyddiaduron Hugh Pugh, Forden House sydd ar gadw yn yr Archifdy lleol.

53. Gwynfynydd Gold Mine near Rhaeadr Mawddach Falls, Ganllwyd. This mine, along with Clogau, Bontddu was one the most productive goldmines in the Dolgellau gold belt. It employed many Dolgellau men during the boom years of the latter part of Victoria's reign. A glimpse of a goldminer's life may be had in the diary of Hugh Pugh, Forden House, held at the local Record Office.

54. Gwaith aur y Figre uwchben pentref Y Bontddu. Mae mynydd y Figre yn y cefndir a phont y Figre ym mlaen y llun. Sylwer yr olwyn fawr ar y dde. Erbyn hyn mae'r bryn dan goed unwaith eto ac mae gofyn chwilota i ddarganfod yr olion diwydiannol.

54. The Vigra Works above the village of Bontddu. Note the large wheel. The hillside is once again heavily wooded and one has to search to find industrial remains.

55. Roedd y rhan fwyaf o'r gweithfeydd mewn mannau gweddol anghysbell, felly cynigid llety i'r mwyngloddiwr mewn adeilad a elwid yn farics. Dyma enghraifft o ystafell nodweddiadol lle arhosai'r gweithiwr yn ystod yr wythnos, yn dyddio o ddechrau'r 1900au.

55. Many of these mines were located in rather remote sites. Therefore, the owners built barracks to house the workers during the week. Here is a typical example of a barracks dating from the early 1900s.

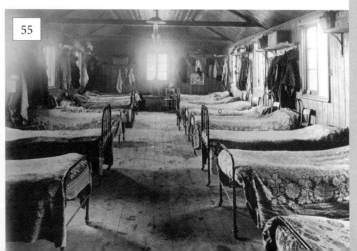

INDUSTRY

Y Dydd

NEWYDDIADUR WYTHNOSOL A CHYFFREDINOL I GYMRU.

RHIF. 1.—CYF. I.]   DOLGELLAU: DYDD GWENER, MEHEFIN 5, 1868.   [PRIS 1½c.

Cyfarchiadau

"Y DYDD" AR EI GYCHWYNIAD.

I. "Y Dydd" at ei Dderbynwyr.

[column of densely-set Welsh newspaper text]

II. Y Dydd" at ei Ddosbarthwyr.

[column of Welsh newspaper text]

III. "Y Dydd" at ei Ohebwyr.

[column of Welsh newspaper text]

IV. "Y Dydd" at ei frodyr a'i gefnderoedd o deulu y Wasg, yn enwedig y Newyddiaduron a'r Cyhoeddiadau Misol a Chwarterol.

[column of Welsh newspaper text]

V. "Y Dydd" at gyfarwyddwyr a phleidwyr pob sefydliadau o ddyngarwch.

[column of Welsh newspaper text]

56. Ym mhen draw'r stryd gwelir arwydd *Y Cymro*. Cychwynnwyd y papur hwn yn Nolgellau yn 1914 gan E W Evans (1860-1925) a fu hefyd yn cyhoeddi *Y Goleuad* o'r adeilad hwn.

56. At the far end of the street may be seen the sign *Y Cymro*. This newspaper was started in 1914 by E W Evans (1860-1925), who also published *Y Goleuad* from this office.

57. Gweithwyr Argraffdy'r *Goleuad*.

57. Workers at the *Goleuad* print works.

58. **Y Dydd:** Papur wythnosol William Hughes, Mervinian House (1838-1921). Ganed William Hughes yn Yr Wyddgrug ac fe'i prentisiwyd yn ŵr ifanc yn Swyddfa Thomas Gee yn Ninbych. Symudodd i Ddolgellau i gymryd gofal o Swyddfa *Y Dysgedydd*. Cychwynnodd *Y Dydd* yn 1868 yn bapur newydd Rhyddfrydol gyda SR (Samuel Roberts) (1800-1885), gweinidog gyda'r Annibynwyr a diwygiwr radicalaidd, yn olygydd a Richard Davies, Mynyddog, yn ei gynorthwyo. Erbyn hyn mae ym mherchnogaeth y *Cambrian News* a daw allan yn fisol.

58. **Y Dydd:** A weekly newspaper started by William Hughes, Mervinian House (1838-1921). Hughes was born in Mold and was apprenticed as a young man to Thomas Gee's office in Denbigh. He moved to Dolgellau initially to take over the office of *Y Dysgedydd*. He started publishing *Y Dydd*, a Liberal weekly newspaper, in 1868 with SR (Samuel Roberts) (1800-1885), Independent minister and radical reformer, as editor assisted by Mynyddog, Richard Davies (1833-1877). It is now in the ownership of the *Cambrian News* and is published monthly.

59. a 60. Y *Victoria Printing Office* neu *Works* (ddoe a heddiw) yn Stryd y Dŵr. Ymgymerai'r swyddfa hon yn bennaf â gwaith argraffu pob dydd, megis adroddiadau, taflenni a deunydd ar gyfer capeli ac eisteddfodau lleol. Mae'r llun hwn yn dyddio o oddeutu 1915. Y gŵr yn y drws yw Edward Williams, YH (Llew Meirion), cerddor, eisteddfodwr a gŵr amlwg yng ngweithgaredd y dref. Yn sefyll o'i flaen y mae ei nai, Hugh Owen Williams. Hugh oedd yr argraffydd a weithiai i'r *Corwen Chronicle* cyn ymuno â *Gwasg Victoria* ac yna bu'n gweithio i'r *Dydd*. Byddai pobl yn ei alw'n 'Hugh Burum' gan fod ei dad, William Williams, Gladstone House, yn gwerthu burum mewn sachau bychain. Roedd yr hen wraig ar y dde yn byw gerllaw ac yn arfer gwneud pwdin gwaed mewn crochan pridd ac yn berwi traed moch ('trotters') i'w gwerthu yn y dref.

59. & 60. The Victoria Printing Office or Works (as it was and as it is today) located in Well Street. It was mainly a jobbing printers producing reports, leaflets and miscellaneous material for chapels and local eisteddfodau. The gentleman in the doorway is Edward Williams, JP (Llew Meirion), a musician, supporter of eisteddfodau and a well known figure in the local community. In front of him is his nephew, Hugh Owen Williams. Hugh was the printer. He used to work for the *Corwen Chronicle* before joining the *Victoria Press*. He later worked for the Dydd. People would call him 'Hugh Burum' (Hugh the Yeast) because his father, William Williams, Gladstone House, used to sell yeast in little bags. The old woman on the right of the picture lived nearby and used to make black pudding in a big earthenware pot and boil pigs' trotters and then sell them around the town.

Erbyn y ganrif ddiwethaf cynhelid dwy ffair flynyddol yn y dref – Ffair Blodau ar 21 Ebrill a Ffair Dynewid ar 20 Medi. Bu'r digwyddiadau hyn yn rhai o bwys cymdeithasol a phrin fyddai presenoldeb disgyblion yn yr ysgolion cynradd yn nalgylch Dolgellau ar y dyddiau hynny.

Byddai'r Diwrnod y Carnifal a Chwaraeon hefyd yn achlysur blynyddol yr edrychid ymlaen ato gan blant ac oedolion. Yr oedd y dref yn gymuned glòs a byddai gweithgareddau lled gystadleuol o'r fath yn dra phoblogaidd.

Ar Ddydd Gŵyl Ddewi byddai'r cymdeithasau lleol yn gorymdeithio trwy'r dref cyn mynd am ginio dathlu. Sefydlwyd Eisteddfod Gadeiriol Meirion yn y dref yn 1876 gan O O Roberts ac fe'i chynhelid yn flynyddol ar Ddydd Calan. Cynhelid Eisteddfod y Gweithwyr ar Ddydd Gŵyl Ddewi, ac yn 1949 cynhaliwyd yr Eisteddfod Genedlaethol yn y dref. Bu Eisteddfod yr Urdd yn y dref yn ogystal yn 1960 ac eto yn 1994.

Cynhelid gŵyl ddrama flynyddol yn yr hen Neuadd Idris hyd yr 1980au a chafwyd gŵyl gerdd yma yn y pumdegau cyn llwyddiant diweddarach y Sesiwn Fawr. Ac mae nifer ohonom yn cofio poblogrwydd y dawnsio gwerin a gynhelid yn Neuadd Idris yn rheolaidd yn y 1960au gyda phobl ifanc o bell ac agos yn ymgynnull yn y dref ar nos Sadwrn.

Bu cryn edrych ymlaen at ymweliadau brenhinol yn ystod y ganrif ddiwethaf. Yn 1923 bu Edward, Tywysog Cymru, ar daith yma gan aros ger Ysgol Dr Williams a chyfarfod rhai o'r disgyblion. Yna yn 1949 daeth y Dywysoges Elizabeth a'i gŵr, y Tywysog Phillip, ar daith i Feirionnydd gan ymweld â'r dref. Iarll Meirionnydd oedd un o deitlau'r Tywysog.

Yn 1963 bu'r frenhines ymweld â'r dref unwaith eto ac yn 1982 bu'r Tywysog Charles a'r Dywysoges Diana yma flwyddyn ar ôl eu priodas.

Ar ben hyn, bu pobl Dolgellau yn dathlu achlysuron arbennig megis Jiwbilî Arian George V, diwedd y ddau Ryfel Byd a choroni'r Frenhines newydd yn 1953.

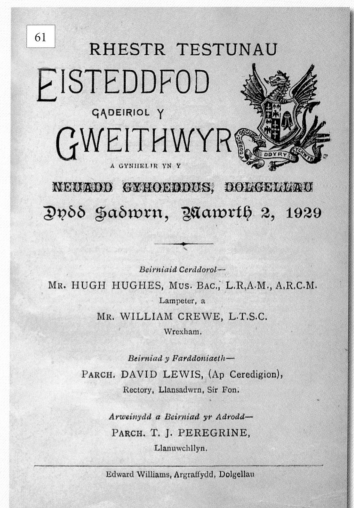

61. Rhestr Testunau, Eisteddfod Gadeiriol y Gweithwyr, Dolgellau, Mawrth 2, 1929. (Argraffwyd yn swyddfa Llew Meirion.)
61. List of test pieces for the Workers' Eisteddfod held in Dolgellau 2 March, 1929. (Printed at the Victoria Printing Works.)

By the last century two fairs were held annually at Dolgellau – the April Fair, known as *Ffair Blodau* on 21 April, around the time we could expect to hear the cuckoo, and the Michaelmas Fair, *Ffair Dynewid*, held in the Autumn on 20 September. These events were of social importance and few children would attend school in the Dolgellau area on these occasions.

The Carnival and Sports Day would be another event that Dolgellau people, young and old alike, would avidly look forward to. The town was a closely knit community and much enjoyment was derived from various competitive events.

On St David's Day, local societies, especially Friendly Societies, would parade through the town before retiring for a celebratory annual dinner. *Eisteddfod Gadeiriol Meirion* was founded in 1876 by O O Roberts and was held in the town on 1 January each year. Eisteddfod y Gweithwyr, 'The Workers' Eisteddfod', was held annually on St David's Day. The National Eisteddfod of Wales took place in the town in 1949 and the Urdd Eisteddfod was held here in 1960 and again in 1994.

An annual Welsh Drama Festival was held in Neuadd Idris (*Tŷ Siamas*) every Autumn into the 1980s and a Music Festival took place in the 1950s, before the later success of the *Sesiwn Fawr*. Many will also recall the success of the folk dancing held at Neuadd Idris during the 1960s on Saturday evenings, drawing great numbers of young people from far and wide.

During the last century, the town would look forward to royal visits. In 1923, for example, Edward, Prince of Wales, stopped at Dr Williams' School to talk to pupils before moving on to the town to execute his duties. In 1949, Princess Elizabeth and Prince Phillip visited Merioneth, calling at the town. In 1963 the Queen paid a further visit to Dolgellau. In 1982, Prince Charles and Princess Diana visited Dolgellau a year after their wedding.

Over the years the town also found occasions to rejoice or celebrate a number of events such as the Silver Jubilee of George V in 1935, the ending of two World Wars and the coronation of Queen Elizabeth in 1953.

62. Clawr Rhaglen y Dydd, Eisteddfod Genedlaethol Urdd Gobaith Cymru, Dolgellau 1960.
62. Cover of the programme for the National Urdd Eisteddfod held in Dolgellau in 1960.

63

64

63. Cyhoeddi esgyniad y Brenin George V i'r orsedd ym 1910.
63. Proclamation of the accession of George V to the throne in 1910.

64. Uwch Siryf Meirionnydd, Mr T H W Idris, ysw., yr Is-Siryf, John Charles Hughes, twrnai, a'r Barnwr, Meistr Ustus Lawrence, yn gadael yr eglwys ar ôl yr Oedfa ar ddechrau sesiwn y Brawdlys yn 1913.
64. The High Sheriff of Merioneth, Mr T H W Idris, esq., the Under-Sheriff, John Charles Hughes, solicitor, the Judge, Mr Justice Lawrence, leaving the church after the Service at the start of the Assize Court in 1913.

65. Roedd yn draddodiad i Gymdeithasau Cyfeillgar, sef cymdeithasau cynilo, orymdeithio trwy'r dref ar Ddydd Gŵyl Ddewi cyn diweddu yn eu mannau cyfarfod am ginio dathlu. Mae'n sicr y byddai'r baneri yn cyhwfan trwy'r sgwâr yn ddarlun hynod o liwgar i'r gwylwyr.

65. It was a town tradition that the Friendly and Benefit Societies paraded through the streets on St David's Day before enjoying a celebratory dinner in their meeting places. The sight of the banners being paraded through the square must have made a colourful spectacle for the onlookers.

66. Rhan o ddathliadau heddwch ar y Marian yn 1919 gydag O P Hughes, Dick James, J Jones-Williams, Gwen Jones-Williams ac Edward Bryn Lewis wedi gwisgo fel sipsiwn.

66. Peace celebrations on the Marian in 1919 with O P Hughes, Dick James, J Jones-Williams, Gwen Jones-Williams and Edward Bryn Lewis dressed as gypsies.

67

†

Order of Service

TO BE USED ON THE OCCASION
OF THE

Unveiling and
Dedication

OF THE

Dolgelley and District
War Memorial

ON

SATURDAY, OCTOBER 1ST, 1921

AT 3 P.M.

DOLGELLEY:
PRINTED BY EDWARD WILLIAMS, VICTORIA PRINTING OFFICE,
1921.

68

67., 68. a 69. Hydref 1, 1921
Dadorchuddio a chysegru'r Gofeb Ryfel ar ôl cyflafan y Rhyfel Byd Cyntaf. Fel y gwelir, lleolwyd yn gyntaf yn Y Stryd Fawr cyn iddi gael ei symud yn ddiweddarach i Gae Marian, yn bennaf oherwydd cynnydd yn y defnydd o foduron.

67., 68. & 69. October 1, 1921
Unveiling and dedication of the War Memorial after the First World War. As may be seen, it was originally located in Eldon Square before being moved to the Marian, due mainly to increased road traffic.

69

70. Edward, Tywysog Cymru, yn y Stryd Fawr ar ei ymweliad â'r dref yn 1923.
70. Edward, Prince of Wales, in Eldon Square on his visit to Dolgellau in 1923.

71. Pobl flaenllaw yr ardal yn cael eu cyflwyno ar lwyfan pwrpasol o flaen Neuadd Idris (Tŷ Siamas) i Edward, Tywysog Cymru.
71. Local dignitaries being presented to Edward, Prince of Wales, on a special platform erected in front of Neuadd Idris (Tŷ Siamas).

72. Lori garnifal gyda Mr William Spratt y barbwr yn y canol, c.1929. Bu Mr Spratt yn gefnogol iawn i'r carnifal dros y blynyddoedd.
72. Carnival lorry with Mr William Spratt, barber standing in the middle, c.1929. Mr Spratt was an enthusiastic supporter of the Dolgellau Carnival over the years.

73. Yr Aelod Seneddol Syr Haydn Jones ynghyd â chynghorwyr lleol ar achlysur agoriad swyddogol gwaith trydan Dolgellau yn 1935.

73. Sir Haydn Jones, MP, with local councillors at the official opening of the Dolgellau electricity supply in 1935.

74. Dathlu priodas Howell Odwyn Jones a Phyllis Parry yn 1937 yng Ngwesty'r Llew Aur. Priododd y ddau yng Nghapel Salem. Yr oedd Howell O Jones yn fab i Richard Jones a fu'n Brif Gwnstabl Heddlu Meirionnydd am flynyddoedd. Yr oedd Richard Jones yn flaenllaw yng ngweithgareddau'r capel.

74. Celebrating the wedding of Howell Odwyn Jones and Phyllis Parry at the Golden Lion Hotel in 1937. They were married in Salem Chapel. Howell O Jones was the son of Richard Jones who was Merioneth's Chief Constable for many years. Richard Jones played a prominent role in the activities of the chapel.

75. Parti stryd yng Nghae Tanws Mawr ar achlysur coroni'r Frenhines Elizabeth II yn 1953.

75. Street party in Glyndŵr Street on the occasion of the coronation of Queen Elizabeth II in 1953.

76. Siop Goch gyda'r perchennog, William Williams a'i wraig y tu allan ar achlysur coroni'r Brenin George VI ym 1937. Byddai'r siop hon ar flaen Bwyty'r Sospan erstalwm.

76. *Siop Goch* with the owner Mr William Williams and his wife outside, decorated on the occasion of the coronation of King George VI in 1937. The shop used to abut from the front of the *Sospan*.

77. Seremoni Gorsedd y Beirdd, Eisteddfod Genedlaethol Dolgellau yn 1949 gyda Mrs Jones, Y Llwyn yn cario'r Corn Hirlas a'r Prifardd Wil Ifan yn llywio o'r maen llog ar y Marian.

77. The Gorsedd y Beirdd ceremony at the National Eisteddfod in Dolgellau in 1949 with Mrs Jones, Y Llwyn carrying the Hirlas Horn with Archdruid Wil Ifan presiding from the centre of the stone circle on the Marian.

78. Adran Ysgol Ramadeg y Bechgyn a fu'n canu yng nghôr plant yr Eisteddfod Genedlaethol yn Nolgellau ym 1949.

78. The Boys' Grammar School section from the children's choir which sang at the National Eisteddfod in Dolgellau in 1949.

79. Merched y Ddawns Flodau a fu'n cymryd rhan yn seremonïau'r Eisteddfod.
[Llun trwy ganiatâd LlGC.]

79. The 'Flower Dance' girls who took part in the Eisteddfod ceremonies.
[Picture by permission of the NLW.]

80. Eisteddfod Genedlaethol Dolgellau, 1949.
Cadeiryddion Pwyllgorau'r Eisteddfod, gyda
Chadeirydd y Pwyllgor Gwaith, John Evans, yng
nghanol y rhes flaen.
80. Dolgellau National Eisteddfod, 1949.
Chairpersons of the Eisteddfod Committees with
the Chairman of the Executive Committee, John
Evans, in the centre of the front row.

Y PWYLLGOR GWAITH

Llywydd:
Yr Henadur ALFRED E. HUGHES.

Cadeirydd:
Yr Henadur JOHN EVANS, "Doluchadda," Llanfachreth.

Is-Gadeiryddion:
J. LLEWELYN OWEN, "Coedmor," Friog.
R. D. JONES, "Hafan," Dolgellau.

Trysoryddion :
W. M. JONES, Midland Bank, Rhyl.
J. KEELING DAVIES, Midland Bank, Dolgellau.

Cyfreithiwr Mygedol:
D. JONES-WILLIAMS.

Is-Ysgrifennydd (Mygedol):
J. E. THOMAS, Brithdir.

Ysgrifennydd Cynorthwyol:
NANSI LEWIS.

Ysgrifennydd Cyffredinol:
THOMAS JONES, Swyddfa'r Eisteddfod, Dolgellau. (Tel.: 8).

Pwyllgor Cyllid

Cadeirydd: ALFRED E. HUGHES.
Is-Gadeirydd: Dr. H. D. OWEN.
Ysgrifennydd: J. GELLY.
Ysgrifennydd Tocynnau:
T. O. WILLIAMS, Bryn Marian, Dolgellau   (Tel. 182).
Ysgrifennydd Tocynnau Drama:
R. A. WYNNE WILLIAMS, Fferyllfa, Dolgellau.   (Tel. 71).

Pwyllgor Llenyddiaeth

Cadeirydd: W. D. WILLIAMS.
Is-Gadeirydd: Y Parch. J. CONWAY DAVIES.
Ysgrifennydd: MEIRION JONES.

Pwyllgor Cerddoriaeth

Cadeirydd: B. MAELOR JONES.
Is-Gadeirydd: W. GORDON PRICE.
Ysgrifennydd: Mrs. BLODWEN HUGHES.
Cyfarwyddwr Cerdd: JOHN HUGHES.

Pwyllgor Cerdd Dant

Cadeirydd: WILLIAM EDWARDS.
Is-Gadeirydd: WILLIAM H. PUGH.
Ysgrifennydd: G. LLOYD ROBERTS.

Pwyllgor Drama ac Adrodd

Cadeirydd: JOHN ELLIS WILLIAMS.
Is-Gadeirydd: BOB LLOYD (Llwyd o'r Bryn).
Ysgrifennydd: Miss MAUD JARRETT.
JOHN WILLIAMS.

81. Aelodau Pwyllgor Gwaith Eisteddfod Genedlaethol Dolgellau, 1949.
81. Members of the Executive Committee of the National Eisteddfod held in Dolgellau in 1949.

82. Eisteddfod Genedlaethol Dolgellau, 1949.
Ysgrifenyddion Pwyllgorau'r Eisteddfod gyda Tom
Jones, Llanuwchllyn, Ysgrifennydd y Pwyllgor
Gwaith yng nghanol y rhes flaen.
82. Dolgellau National Eisteddfod, 1949.
Secretaries of the Eisteddfod Committees with Tom
Jones, Llanuwchllyn, Secretary of the Executive
Committee in the centre of the front row.

83. a 84. Y dyrfa yn y Stryd Fawr ar achlysur ymweliad y Dywysoges Elizabeth â Dolgellau ym mis Ebrill, 1949. Cafodd pobl flaenllaw'r dref a grwpiau o weithwyr arbennig eu cyfarch yn eu tro gan y Dywysoges.

83. & 84. The crowds in Eldon Square on the occasion of the visit of Princess Elizabeth to Dolgellau in April, 1949. Local dignitaries and groups of special workers were greeted in turn by the Princess.

PROGRAMME of TOUR

THROUGH THE COUNTY OF MERIONETH

THURSDAY 28th APRIL 1949

3·55 p.m.
THEIR ROYAL HIGHNESSES THE PRINCESS ELIZABETH AND THE DUKE OF EDINBURGH (EARL OF MERIONETH)

attended by

Lady Margaret Katherine Hay (*Lady in Waiting*)

and

Lieutenant Michael Parker, R.N. (*Equerry in Waiting*)

will arrive at the County boundary, top of Crimea Hill

THEIR ROYAL HIGHNESSES

will be received by

The Lord Lieutenant of the County (The Right Honourable Lord Harlech, K.G., P.C., G.C.M.G.) and Lady Harlech, D.C.V.O.

The Lord Lieutenant will present :—

The High Sheriff (Alfred E. Hughes, Esq., J.P.)
The Chairman of the County Council (Alderman Frank Owen)
The Member of Parliament for the County of Merioneth (Emrys Roberts, Esq., M.P.)
The Clerk of the Lieutenancy and of the County Council (Hugh J. Owen, Esq.)
The Chief Constable (Richard Jones, Esq.)

3·58 p.m.   THEIR ROYAL HIGHNESSES

will proceed to Blaenau Festiniog

Salutes by Rock Cannon will be fired at the Oakeley and Llechwedd Quarries as Their Royal Highnesses proceed along the Route to the Grammar School Ground at Blaenau Festiniog

85. Ymweliad y Frenhines a'r Tywysog Phillip â'r dref ar Awst 10, 1963. Yma maent yn cyfarch Cynghorwyr o flaen Pencadlys newydd y Cyngor Sir yng Nghae Penarlag.

85. The visit of the Queen and Prince Phillip to Dolgellau on 10 August, 1963. They are seen here greeting councillors in front of the County Council's new headquarters at Cae Penarlag.

ACHLYSURON ARBENNIG

86

86-89. Diwrnod Ffair y Blodau ar 21 Ebrill 1956. Tynnwyd y lluniau hyn gan y ffotograffydd toreithiog, Geoff Charles, ac fe'u dangosir yma trwy ganiatâd Llyfrgell Genedlaethol Cymru.
86-89. The Flower Fair held on 21 April 1956. These pictures were taken by the prolific photographer, Geoff Charles and appear here by permission of the National Library of Wales.

87

88

89

SPECIAL OCCASIONS

ydy tref wrth gwrs yn ddim heb ei phobl a'u 'pethe'. Pobl sydd yn rhoi cymeriad i le, – y trigolion, yn siopwyr, yn fasnachwyr, yn blismyn, yn weinidogion, pensiynwyr a phlant. Hwy yn anad dim sydd yn rhoi gwead a chymeriad i'r lle. Meddygon fel Dr Johnny a Dr Hughie, dau frawd o Gaerffynnon, a'r cyn chwaraewr rygbi rhyngwladol o Iwerddon, Dr Myles ym Mroheulog ger Pont yr Aran. Siopwyr fel Richard Mills, D E Hughes (Siop y Post), William Allen (Star Stores) a William Williams (Siop Goch); fferyllwyr fel Richard Wynne Williams a ffariars fel George Wynne Williams; argraffwyr a chyhoeddwyr enwog fel Richard Jones, E W Evans, Alfred Hughes ac Edward Williams; gwerthwyr ychydig o bopeth wedyn, fel John yr Hall. A chymeriadau fel Richard Roberts bach, y *town crier* a'r hen Albert a âi o gwmpas yn gwerthu'r *Dydd*.

Byddai pobl hefyd yn mynd at ei gilydd i ffurfio clybiau a chymdeithasau o bob math. Byddai bri yn enwedig ar ganu corawl. Roedd Côr Meibion Glannau'r Wnion yn hynod lwyddiannus o dan arweiniad Dafydd Rowlands a Chôr Meibion Dolgellau hefyd yn ddiweddarach. Bu Côr Mawr y Plant o dan arweiniad O O Roberts hefyd yn boblogaidd yn y ganrif ddiwethaf.

Pobl a grwpiau fel hyn sydd yn y pen draw yn gyfrifol am greu'r cwlwm hwnnw sydd yn cynnal ein cymdeithasau. Weithiau byddai rhai o'r cymeriadau hyn yn cael eu dal gan y camera neu hyd yn oed yn cael eu lluniau wedi'u tynnu gan ffotograffydd lleol. Mae'r delweddau hyn yn ein galluogi i gysylltu unwaith eto gyda rhai o gyn-gymdogion ein gorffennol.

90. Côr Mawr Dolgellau dan arweiniad O O Roberts, c.1904.
90. *Côr Mawr Dolgellau*, conducted by O O Roberts, c.1904.

90

A town lives through its people and, of course, it is these people who provide the town's unique identity. The inhabitants … individuals, families, retired people, young people, shopkeepers, entrepreneurs, public servants, solicitors, policemen, ministers, they have all left their mark on Dolgellau. Doctors such as Dr Johnny and Dr Hughie, who lived in Caerffynnon, and the ex Irish rugby player, Dr Myles in Froheulog. More recently, Dr Edwards and Dr Owen administered to the health of Dolgellau people. Shopkeepers such as Richard Mills, D E Hughes, William Allen of Star Stores and William Williams Siop Goch; chemists such as Richard Wynne Williams and vets such as George Wynne Williams; notable printers and publishers such as Richard Jones, E W Evans, William Hughes and Edward Williams. Many will remember John yr Hall's shop which sold something for everyone, Richard Roberts bach, the town crier, and old Albert who wandered the town selling the local newspaper, *Y Dydd*.

These individuals would also come together to form clubs and societies of one sort or another. Choral singing was very popular. Côr Meibion Glannau'r Wnion was a very successful choir under the leadership of Dafydd Rowlands who later was equally successful with *Côr Meibion Dolgellau* – the Dolgellau Male Voice Choir. The children's choir, *Côr Mawr y Plant* was also successful, ably led by Mr O O Roberts.

Collectively, their stories tell the story of Dolgellau. These people were sometimes caught on camera or even proudly faced the photographer, and these images enable us to connect once again with our past neighbours and families.

91. Mrs Ellen Pugh, Pandy'r Odyn. Ganed Ellen Pugh yn Llanfachreth. Erbyn tro'r ganrif ddiwethaf roedd hi'n wraig weddw ac yn ymgymryd â gwaith golchi dillad. Roedd ganddi fab, merch ac ŵyr yn byw dan yr un to. Ymddengys bod traddodiad ymysg rhai o wragedd Pantyrodyn o wisgo dillad traddodiadol Cymreig ar gyfer ymwelwyr gyda rhai yn cynnig te yn ogystal er mwyn ennill ychydig arian.

91. Mrs Ellen Pugh, Pandy'r Odyn. Ellen Pugh was born in Llanfachreth. By the beginning of the last century she was a widow and took in washing and laundry work. She had a son, daughter and grandson living with her. It appears that there was a tradition in Pandy'r Odyn whereby certain ladies dressed in Welsh costume with some offering tea to visitors as well in order to make some extra money.

92. Albert Llewelyn Jones i roi ei enw llawn, ond i drigolion y dref, Albert *Y Dydd*. Roedd yn un o hen gymeriadau'r dref a fyddai'n mynd o gwmpas yn gwerthu copïau o'r *Dydd*, y papur wythnosol lleol (c.1958).
92. Albert Llewelyn Jones was a local character who used to go round Dolgellau selling copies of *Y Dydd*, the local weekly newspaper (c.1958)

93. Y postmon, Mr E A Owen, Maestalaran yn dangos nyth o gywion siglennod brith mewn blwch postio ar Ffordd y Gader ym 1949.
93. The postman, Mr E A Owen, displaying a nest of pied wagtail chicks in a post box on Cader Road in 1949.

94. William Spratt, barbwr yn y Stryd Fawr, yn disgwyl yn y drws am ei gwsmer nesaf (1956). [Llun trwy ganiatâd LlGC.]
94. William Spratt, barber in Eldon Square, waiting in the doorway for h next customer. [Picture by permission of the NLW.]

95. Hen gymeriad a elwid, am ryw reswm, yn Syr John Dalby Jones, yn pasio ger ochr Neuadd Idris (Tŷ Siamas).
95. An old character known, for some reason, as Sir John Dalby Jones, walking past Neuadd Idris (Tŷ Siamas).

96. Swyddogion Cangen Meirion o Gymdeithas Annibynnol yr Odyddion. Math o gymdeithas gynilo, gyfeillgar oedd hon yn y bôn a gychwynnwyd yn Lloegr yn y ddeunawfed ganrif . Sefydlwyd yr Independent Order of Oddfellows (Manchester Unity) Friendly Society, yr oedd hon yn gangen ohoni, yn 1810. Yn eistedd yng nghanol y rhes flaen mae Dr John Jones, Wenallt, Dolgellau a oedd yn dipyn o gymeriad. Adwaenid ef ar lafar fel Dr Johnny.

96. Officers of the Meirion Lodge of the Independent Order of Oddfellows. The Oddfellows were fraternal and benevolent societies, which originated in England in the 18th century. The Independent Order of Oddfellows (Manchester Unity) Friendly Society was founded in 1810. The Society's Meirion Lodge was based in Dolgellau. Seated in the middle of the front row is Dr John Jones, Wenallt, Dolgellau, a local doctor and something of a character who was known affectionately as Dr Johnny.

97. Dau o feddygon y dref yn ystod y 1950au a'r 1960au. Ar y chwith, Dr Hugh D Owen a fu'n Gadeirydd Cyngor Tref Dolgellau ac ar y dde, Dr Richie Edwards, Ty'n y Coed.

97. Two of Dolgellau's doctors during the fifties and sixties, Dr Hugh D Owen (left) who also served as Chairman of the Dolgellau Urban Council and Dr Richie Edwards, Ty'n y Coed.

98. Samuel Holland (1803-1892). Gŵr busnes a chymwynaswr. Yn 18 oed fe'i apwyntiwyd gan ei dad yn rheolwr Chwarel Rhiwbryfdir ym Mlaenau Ffestiniog. Ef oedd yn gyfrifol am sefydlu Ysgol Dr Williams i Ferched yn Nolgellau yn 1878. Fe'i apwyntiwyd yn Uwch Siryf sir Feirionnydd yn 1862 a bu'n Aelod Seneddol Rhyddfrydol dros y sir o 1870 i 1885.

98. Samuel Holland (1803-1892), entrepreneur and benefactor. Aged 18 years, his father made him manager of Rhiwbryfdir Quarry in Blaenau Ffestiniog. He was the chief instigator in founding Dr Williams' School for Girls at Dolgellau which opened in 1878. He was made High Sheriff of Merioneth in 1862 and served as Liberal MP for the county from 1870 to 1885.

99. a 100. Bedd David Richards, sef y bardd Dafydd Ionawr, yn y Marian. Codwyd y gofgolofn yn 1849 ar gost o £30 – swm sylweddol y dyddiau hynny. Rhyw byramid o feddfaen ydyw ac i'w weld yn codi uwchben wal y Marian Mawr. Mae'r golofn tua phymtheg troedfedd o uchder. Ar un ochr ceir y geiriau 'BEDD DAFYDD IONAWR. BU FARW MAI 12 1827. EI OEDRAN 76'. Ac ar yr ochr arall, ceir y geiriau mewn Lladin: M.S. BARDI CHRISTIANI MERVINIENSIS. Ob. A D 1827, AETAT SUAE 76'. Ac ar ochr arall eto, 'Revd J. JONES A.M. De YNYSFAIG POSUIT'. A diddorol nodi mai dymuniad bardd 'Cywydd y Drindod' – ac mae hyn yn weddol nodweddiadol ohono – nad oedd o eisiau unrhyw fath o orchest i'w goffáu o gwbl! Credai y dylai'i waith, a'i waith yn unig, fod yn ddigon o gofadail iddo. Bu rhai yn y gorffennol yn cyfeirio at Fynwent Y Marian fel Mynwent Dafydd Ionawr.

99. & 100. The grave of David Richards better known by his bardic name, Dafydd Ionawr located in the Marian Mawr cemetery. The gravestone was erected in 1849 at a cost of £30 – a substantial sum in those days. The pyramidical stone can be seen rising above the parapet of the enclosing wall. It stands about fifteen feet in height. On one side are the words: 'BEDD DAFYDD IONAWR, BU FARW MAI 12 1827. EI OEDRAN 76'. And on the other side written in Latin, are the words: 'M.S. BARDI CHRISTIANI MERVINIENSIS, Ob. A.D. 1827, AETAT SUAE 76'. and on the next side again, 'Revd J. JONES A.M. De YNYSFAIG POSUIT'. It is interesting to note that the poet, author of 'Cywydd y Drindod', a lengthy poem on the question of the Trinity, never desired a substantial memorial of any kind. He believed that his work in itself, was a sufficient memorial. Some local people used to refer to the Marian Cemetery as Dafydd Ionawr's Cemetery.

101. Hugh J Owen (1880-1961), cyfreithiwr, awdur a hanesydd lleol. Ef a apwyntiwyd yn Glerc amser llawn cyntaf Cyngor Sir Feirionnydd yn 1920. Yr oedd yn flaenllaw yn sefydlu'r Gwasanaeth Archifau.

101. Hugh J Owen, 1880-1961, solicitor, author and local historian. He was appointed Merioneth's first full-time Clerk of the Council in 1920. He was also instrumental in establishing the Archives Service.

102. Portread o wraig weddw oedrannus o Oes Fictoria, c.1890. Roedd Mrs Mary Williams yn wraig i John Williams a fu'n berchennog gwaith coed. Bu eu merch Margaret yn briod â William Hughes, argraffydd a sylfaenydd papur newydd Y Dydd.

102. A portrait of an elderly Victorian lady, c.1890. Mrs Mary Williams was the wife of John Williams, timber merchant, whose daughter Margaret married William Hughes, printer, founder of Y Dydd newspaper.

POBL A CHYMDEITHAS

103. Syr Robert Williames Vaughan, Nannau, 2il farwnig (1768-1843). Mab hynaf Syr Robert Howell Vaughan. Etifeddodd ystadau Hengwrt a Nannau ar farwolaeth ei dad yn 1792 ac yn yr un flwyddyn, etholwyd ef yn AS Sir Feirionnydd. Bu'n aelod hyd 1836. Gwnaeth lawer o newidiadau a gwelliannau i'w ystadau yn ystod ei oes yn cynnwys codi oddeutu 70 milltir o waliau.

103. Sir Robert Williames Vaughan, Nannau, 2nd bart (1768-1843). Eldest son of Sir Robert Howell Vaughan. He inherited both Hengwrt and Nannnau estates on the death of his father in 1792. The same year he was appointed MP for Merioneth, a seat he held until 1836. He was responsible for many improvements on his estates, including the building of some 70 miles of walling.

104. Hogiau Dolgellau: milwyr o'r dref adeg y Rhyfel Mawr, c.1915.
104. Dolgellau Boys: soldiers from the town at the time of the Great War, c.1915.

105. Richard Roberts, crïwr y dref. Yn ŵr bach o gorff, cyfeirid ato'n gynnes fel 'Richard Roberts bach'. Mae'r gloch sydd yn ei law bellach ar gadw yn Archifdy Meirionnydd yn Nolgellau.
105. Richard Roberts, town cryer. A man of small stature, he was affectionately known as 'Richard Roberts bach'.

106. Arthur Howell Williams yw'r gŵr hwn, PC 21 yn Heddlu Meirionnydd mewn gwisg bob dydd ar drywydd drwgweithredwyr.
106. This man was Arthur Howell Williams, PC 21 of the Merioneth Constabulary in plain clothes evidently in an attempt to capture wrongdoers.

107

108

108. c.1900. William Henry Farr Adams, cyfreithiwr amlwg yn y dref ar un adeg. Ef oedd yr Adams yng nghwmni Griffith, Adams a Williams. Roedd yn byw ym Mryn Mair, Dolgellau a hanai o Blas Llysyn, Carno, Sir Drefaldwyn.

108. c.1900. William Henry Farr Adams, a one time leading town solicitor with the firm Griffith, Adams and Williams. He lived at Bryn Mair, Dolgellau and was from Plas Llysyn, Carno, Montomeryshire.

110

107. Mr John Eurfyl James Jones, BA, BSc. Ganed yn Aberystwyth ac ar ôl gwasanaethu yn yr Awyrlu a chyfnod yn athro yn Y Rhymni, fe'i apwyntiwyd yn Brifathro Ysgol Ramadeg y Bechgyn yn 1946. Roedd parch mawr i'r gŵr ac athro arbennig hwn a adwaenid fel JEJ (tu ôl i'w gefn wrth gwrs) gan genedlaethau o fechgyn y fro.

107. Mr John Eurfyl James Jones BA, BSc. He was born in Aberystwyth and after a period in the RAF and as a teacher in Rhymney, was appointed headmaster of the Dolgellau Boys' Grammar School in 1946. This remarkable man and teacher, known as JEJ (behind his back of course) was highly respected by generations of schoolboys.

109. Mr G Lloyd Williams, gŵr hoffus a fu'n ofalwr yn Ysgol Ramadeg y Bechgyn am flynyddoedd.

109. Mr G Lloyd Williams, a popular caretaker at the Boys' Grammar School for many years.

109

110. Dorothy Bilton Lickes, y brifathrawes olaf ond un yn Ysgol Dr Williams. Caewyd yr ysgol 5 mlynedd ar ôl iddi ymddeol. Bu yn y swydd o 1946 hyd 1969 a bu'n byw yn yr ardal hyd ei marwolaeth yn 1998 yn 94 oed.

110. Dorothy Bilton Lickes, the last but one of Dr Williams' School's headmistresses. The school closed 5 years after her retirement. She was in the post from 1946 to 1969 and continued to live in the area until her death in 1998 at the age of 94.

111. Côr Meibion Dolgellau, 1966, gyda David Rowlands (Arweinydd) ac Elizabeth Mary Williams (Cyfeilyddes) yn eistedd o'u blaen, yn arddangos eu tlysau ar ôl cyfnod arbennig o lewyrchus.
111. Dolgellau Male Voice Choir, 1966, with David Rowlands (Conductor) and Elizabeth Mary Williams (Accompanist) seated centre front, displaying their trophies after a particularly successful run.

112. George Lewis yn tynnu'r bara allan o'r popty am y tro olaf ym Mhopty'r Lawnt gyda Grenville Cook yn barod i dynnu'r torthau o'u tuniau (7 Medi 1978). Roedd y popty bach hwn yn hynod boblogaidd gan drigolion y dref ac yn un o, o leiaf, bedwar cwmni a oedd yn pobi yn ystod y 1960au. Gweithiai David Rowlands yn y popty hefyd, yn ogystal ag arwain Côr Meibion Dolgellau am nifer o flynyddoedd. [Gweler lluniau 111 a 157.]
112. George Lewis about to take the bread out of the oven for the last time at Popty'r Lawnt and Grenville Cook ready to remove the loaves from their tins (7 September 1978). This small bakehouse was very popular with Dolgellau people and was one of at least four bakehouses in the town during the 1960s. David Rowlands worked there as well and also conducted the Dolgellau Male Voice Choir for many years. [See pictures 111 and 157.]

PEOPLE & SOCIETY

113. Sir Robert Vaughan, Garthmaelan, mab hynaf John Vaughan, Nannau ac Elinor Anne, merch Edward Owen, Garth Angharad, Dolgellau. Er mai ef oedd y mab hynaf, pasiodd yr ystâd i'w frawd iau, John, a dreuliai'r rhan fwyaf o'i amser i ffwrdd o Nannau. Arhosodd Robert yn y fro yn cyfrannu i'r byd amaeth ac yn gwasanaethu fel cynghorydd sir. Yma gwelir ef ar y Marian Mawr gyda bustach roedd wedi'i fagu, a'r cigydd oedd wedi'i brynu gerllaw. Fe'i urddwyd yn Farchog yn ystod yr Ail Ryfel Byd am ei wasanaeth i'r sir.

113. Sir Robert Vaughan, Garthmaelan. The eldest son of John Vaughan, Nannau, and Elinor Anne, daughter of Edward Owen, Garth Angharad, Dolgellau. Robert stayed in the area farming and serving the community as a county councillor but the estate passed to his younger brother, John, who spent most of his time away from Nannau. In this photograph we see Sir Robert on the Marian Mawr with a bullock he had reared, in the company of a local butcher who evidently had bought the beast. He was knighted during the Second World War for services to the county.

114. Grŵp o bostmyn lleol tu allan i hen orsaf Brigâd Dân Dolgellau, Chwefror 1952. [Llun trwy ganiatâd LlGC.]

114. A group o local postmen outside the Dolgellau Fire Station, February 1952. [Picture by permission of the NLW.]

115. 1923: Pum brawd – Richard Roberts, John Pandy Roberts, Robert Joh Roberts, William David Roberts a Samuel Pandy Roberts, i gyd yn aelodau seindorf y dref. Trigent yn Riverside, Penucha'r dref, yn blant i Dav a Lau Roberts.

115. 1923: Five brothers – Richard Roberts, John Pandy Roberts, Robert John Roberts, William David Roberts and Samuel Pandy Roberts. They wer all members of the town band. They lived at Riverside, South Street, the children of David and Laura Roberts.

118. Seindorf Arian Dolgellau. Ymddengys y ffurfiwyd y band yn wreiddiol i godi pres ar gyfer y Ddarllenfa Rydd a agorwyd yn 1913.

118. Dolgellau Silver Band. It appears that the band was originally formed to raise money for the Dolgellau Free Library and Institute which opened in 1913.

116. Merched yn arddangos buddeiau pen dros ben i wneud menyn. Yr ail o'r chwith yw Mary Maitland Vaughan, Nannau gyda'i chwaer, Eleanor Catherine ar y pen pellaf ar y dde. (Llun gan Charles H Young, County Studios, Dolgellau.)

116. Young women demonstrating butter making with up-and-over churns. The second from the left is Mary Maitland Vaughan, Nannau with her sister, Eleanor Catherine Vaughan on the far right. (Photograph by Charles H Young, County Studios, Dolgellau.)

117. Merched yn gweithio'n galed yng Ngolchdy Dolgellau ym mis Ebrill 1952. [Llun trwy ganiatâd LlGC.]

117. Women hard at work at the Dolgellau Laundry in April 1952. [Picture by permission of the NLW.]

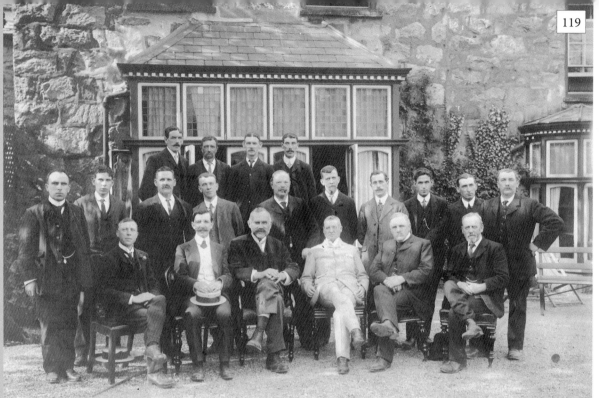

119. a 120. Pwyllgor y Ddarllenfa Rydd. Gosodwyd y garreg sylfaen ar gyfer y Ddarllenfa Rydd yn Wtre'r Felin yn 1911. Tynnwyd y llun y tu allan i Froheulog, cartref y Cadeirydd, Dr Myles (y gŵr barfog yn eistedd yng nghanol y rhes flaen).

119. & 120. The Free Library Committee. The foundation stone for the Free Library was laid in Mill Lane in 1911. The photograph was taken outside Froheulog, home of the Chaiman, Dr Myles (the bearded gentleman seated in the centre of the front row).

THE DOLGELLEY.

FREE LIBRARY AND INSTITUTE.

Chairman—Rev. W TITUS JONES, B.A.,
Vice-chairman— REES MORGAN, Esq., Bodlondeb
Hon Treasurer.—E. W. EVANS, Esq, Frondirion
Hon. Sec—Mr ERNEST DAVIES, Criterion
Assistant Hon. Sec.—Mr W. D. ROBERTS
Libra ian—Mr. ROBERT JAMES (Trebor)

COMMITTEE—
Messrs. Roberts, Clogwyn; H. W. Bromby, Dr. John Jones, W. Allen, E. E. Jones, Bethel House; R Edwards, Sprin field street; Harvey Jones, Llys Mynach; R. C. Evans. Dr. Myles, Rev R. Morris, M.A,B:D, E A Williams, J Owen Cambrian Stores; Isaac Evans, (jun), Lombard street; D R Jones, \aestalaran; John Owen, Froheulog terrace:

INSTITUTE SILVER BAND.
President - Colonel G. F. SCOTT
Vice-Presidnnt—Rev R. MORRIS, M.A.,B.D.
Hon. Treas—E. W. EVANS. Esq., Frondirion.
Hon. Sec.—Mr. ERNEST DAVIES, Criterion.
Assist. Hon. Sec.—Mr. W. D. ROBERTS.

Committee—Dr J Jones: Rev. W T Jones, B.A; Messrs F Arnfield, H W Bromby, R Davies, Criterion; M. W. Griffith, Mus Bac; J. Griffith, B.Sc; E E Jones, Harvey Jones, R Jones, B,A,; J Roberts, Maestalaran; O O Roberts, E A Williams, G Wynn Williams, E Williams, Ivy House

121. Cynllun y Llyfrgell Rydd arfaethedig a dderbyniwyd gan y Pwyllgor ac a enillodd wobr o £10 i'r Pensaer buddugol, Edmund A Fermaud, Llundain.

121. The design for the proposed new Free Library accepted by the Committee which won for the successful architect, Edmund A Fermaud, London, a prize of £10.

122. Plas Brith, lleoliad yr hen 'Social Club'.
Codwyd yr adeilad ar droad y ganrif ddiwethaf ar safle'r hen Blas Brith.
122. Plas Brith, site of the old 'Social Club'.
It was built at the beginning of the last century on the site of a former house, Plas Brith.

123

"*The Companies Acts, 1862 to 1900.*"

COMPANY LIMITED BY SHARES.

Memorandum of Association

OF THE

DOLGELLEY CLUB COMPANY,
LIMITED.

1. The Name of the Company is "THE DOLGELLEY CLUB COMPANY, LIMITED."

2. The Registered Office of the Company will be situate in England.

3. The Objects for which the Company is established are—

(*a*) To acquire by purchase, lease, or otherwise, any land, buildings, or other property at Dolgelley, in the County of Merioneth, or elsewhere, for the purposes of providing a Club House or Club Premises and other conveniences for the use and accommodation of the Members of a Social Club of a non-political character about to be formed at Dolgelley, in the County of Merioneth, or elsewhere, and to consist of such persons as the Committee may from time to time admit to membership.

(*b*) To erect suitable premises on any land so acquired, or to adapt, alter, or improve any existing house or buildings thereon, and to furnish and maintain such premises, and either to let them or any portion thereof to the Club, or to carry on the Club on the Company's own account ; and to permit the Company's premises or any portion thereof to be used by the Members of the Club and their friends

---

NAMES , ADDRESSES AND DESCRIPTIONS OF SUBSCRIBERS | **124**

THOMAS HUGH ROBERTS, Parliament House, Dolgelley, Ironmonger
JOHN CHARLES HUGHES, Bryndedwydd, Dolgelley, Solicitor
R. GUTHRIE JONES, Llys Mynach, Dolgelley, Solicitor
ROBERTS JONES GRIFFITH, Coedcymmer, Dolgelley, Solicitor
RICHARD WILLIAMS, Argoed, Dolgelley, Esquire
JOHN EDWARDS, 1 Wnion Terrace, Dolgelley, Rate Collector
DAVID GRIFFITH WILLIAMS, Greenwich House, Dolgelley, Jeweller
RICHARD WALTER RICHARDS, Froheulog, Dolgelley, Medical Practitioner
DAVID ROGER MILLS, Maldwyn House, Dolgelley, Merchant

Dated the 3rd day of December 1901.
Witness to the above signatures—
Daniel Williams, Dolgelley, Solicitor.

123. a 124. Sefydlwyd y Clwb yn y Lawnt ar ddechrau'r ganrif ddiwethaf fel cymdeithas breifat – math o 'gentlemen's club' – ar gyfer gwŷr proffesiynol y dref fel y gwelir yn y rhestr gynnar hon o danysgrifwyr.

123. & 124. The Club was founded in the first years of the twentieth century as a private society – a kind of 'gentlemen's club' – for professional men, as can be seen from this early list of subscribers.

Y TLOTY

Roedd Deddfau'r Tlodion a ddyddiai'n ôl i gyfnod y Tuduriaid wedi gwasanaethu'r wlad ers canrifoedd. Fodd bynnag, erbyn y bedwaredd ganrif ar bymtheg a welsai gymaint o ddatblygiad diwydiannol ac anghydfod cymdeithasol, roedd y gyfundrefn yn dechrau simsanu a'r deddfau yn dangos eu hoed. Roedd materion cymdeithasol megis iechyd cyhoeddus yn sicr ar yr agenda erbyn cyfnod oes Fictoria, a gwnaed ymdrechion glew i fynd i'r afael â'r problemau cynyddol hyn.

Ceisiodd Deddf Newydd y Tlodion 1837 wella cyflwr y genedl trwy adeiladu tlotai gyda'r syniad o ddelio â'r holl anawsterau a fodolai. Rheolid y tloty, neu'r wyrcws fel y'i gelwid, gan Fwrdd o Warcheidwaid a gynrychiolai Undeb o blwyfi cyfagos. Gweinyddid y wyrcws o ddydd i ddydd gan y meistr a geisiai ddelio â holl broblemau henaint, tlodi a salwch dan yr un to fel petai. Yn wir, bu cysgod y wyrcws yn drwm ar gymdeithas am flynyddoedd maith. Roedd y dref, fodd bynnag, yn anfodlon codi wyrcws ar y pryd a chymerwyd ugain mlynedd cyn i adeilad gael ei godi ar dir ar waelod Fron Serth a oedd yn eiddo i deulu Vaughan, Nannau. Gyda newidiadau pellach yn 1929, daeth y wyrcws yr hyn a elwid yn Sefydliad Cymorth Cyhoeddus. Ac yna gyda dyfodiad y Wladwriaeth Les, yn ysbyty ar gyfer y rhai a ystyrid yn 'feddyliol isnormal'. Gelwid yr ysbyty yn Llwyn View. Bu'n derbyn dynion a merched ar y dechrau, ond yn gynnar yn y 1950au, sefydlwyd cartref ar wahân ar gyfer dynion yng Ngarth Angharad, ger Arthog.

YR HEDDLU

Ceisiodd Llywodraeth y dydd roi trefn ar leihau trosedd, anhrefn ac ymddygiad gwrthgymdeithasol drwy basio Deddf Heddlu Sirol a Bwrdeistrefol, 1856. Fel canlyniad, ffurfiwyd Heddlu Meirionnydd yn 1857 i ddisodli'r hen drefn o apwyntio cwnstabliaid plwyf yn swyddogion cyfraith a threfn, cyfundrefn a oedd wedi bodoli ers cyfnod y Tuduriaid. Fel roedd trefi a dinasoedd yn tyfu a datblygu yn ystod y bedwaredd ganrif ar bymtheg, roedd yr hen drefn yn fwyfwy annigonol i ddelio â'r amryfal broblemau. Trefnwyd yr heddlu sirol newydd yn nifer o raniadau gan gynnwys Aberdyfi, Y Bala, Abermaw, Blaenau Ffestiniog, Corris, Corwen, Dinas Mawddwy, Dolgellau, Dyffryn, Harlech, Llwyngwril, Maentwrog, Pennal, Penrhyndeudraeth, Tywyn a Thrawsfynydd. Cadwai'r rhaniadau hyn gofnodion amrywiol yn cynnwys cofrestri troseddau, llyfrau gwysion a chofrestri cyhuddiadau. Adeiladwyd gorsaf gyntaf Dolgellau yn y Lawnt ac mae'r adeilad yn dal i sefyll. Yn 1950, yn dilyn Deddf Heddlu 1946, cyfunwyd heddluoedd Môn, Caernarfon a Meirionnydd i ffurfio Heddlu Gwynedd. Yna cyfunwyd ymhellach yn 1967 gyda siroedd Fflint a Dinbych gan ffurfio gwarchodlu newydd. Yn 1974, ffurfiwyd Cyngor Gwynedd, gyda'r sir weinyddol newydd yn gwasanaethu ochr orllewinol y gwasanaeth heddlu. Ar Ebrill 1, 1974, ailenwyd y gwasanaeth yn Heddlu Gogledd Cymru.

Y LLYS CHWARTER

Y llys mwyaf dylanwadol a ddeliai gyda materion troseddol ac a oedd hefyd yn gyfrifol am weinyddiaeth y sir yn gyffredinol oedd Llys y Sesiynau Chwarterol. Gelwid yn fyr yn Llys Chwarter oherwydd iddo gyfarfod bedair gwaith y flwyddyn, tymor Ilar, sef tymor y gaeaf, y Pasg, y Drindod a Gŵyl Mihangel. Mae'r llys yn dyddio'n ôl i gyfnod y Tuduriaid ond yn anffodus, nid yw'r cofnodion cynnar wedi goroesi. Mae'r rhai hynaf sydd ar gael yn dyddio yn ôl i 1733. Roedd y llys, a ddaeth i ben yn 1972, yn delio â throseddau lled ddifrifol megis lladrata ac ymosodiadau a chyda busnes gweinyddol yn ogystal (materion parthed deddf y tlodion, treth leol, cofrestru adeiladau ymneilltuol (capeli), ffyrdd a phontydd. Yr oedd hefyd yn llys cofnodi ac roedd yn ofynnol yn ôl cyfraith gwlad bod rhai dogfennu yn cael eu hadneuo gyda'r Clerc Heddwch.

Y cofnod canolog yw'r sesiwn neu'r rhôl fel y'i gelwir sydd

WORKHOUSE

The Poor Laws dating from Tudor times had served the country relatively well. However, they were getting outdated and quite inadequate by the nineteenth century which saw so much industrial development and social upheaval in Wales. Social and public health issues were certainly on the agenda during Victorian times and great strides were taken to deal with growing social and health related problems. The Poor Law Amendment Act, 1837, for instance, attempted to improve the state of the nation by building workhouses with a catch-all mentality to be run by a Board of Guardians representing a Union of parishes. The workhouse which was managed by a master attempted to deal with poverty, illness and old age in all its guises and succeeded in casting a shadow over people's lives until relatively recently. However, the town was initially unwilling to establish a workhouse and it was twenty years before it was built on a site at the bottom of Fron Serth on land owned by the Vaughan family. With further changes in 1929, the workhouse became a Public Assistance Institution, then later with the advent of the National Health Service, it became a hospital for people classed, in those times, as 'mentally subnormal', called Llwyn View. It initially accommodated both men and women, but early in the 1950s, men were moved to a separate institution at Garth Angharad near Arthog.

POLICE

As far as crime prevention or policing was concerned the Government made a concerted effort to try and put its house in order by passing the County and Borough Police Act, 1856. Merioneth Constabulary was formed in 1857 to replace the old Tudor system of appointing parish constables as law enforcement officers. The system had grown increasingly inadequate especially as towns and cities expanded during the nineteenth century. The new county Constabulary was arranged into a number of divisions, which included Aberdyfi, Bala, Barmouth, Blaenau Ffestiniog, Corris, Corwen, Dinas Mawddwy, Dolgellau, Dyffryn, Harlech, Llwyngwril, Maentwrog, Pennal, Penrhyndeudraeth, Tywyn and Trawsfynydd. The divisions maintained records including crime registers, summons books and registers of charges. The original Dolgellau Police Station was built in the Lawnt and the building still stands. In 1950, the Anglesey, Caernarfonshire and Merionethshire police forces were amalgamated under the Police Act, 1946 to form the Gwynedd Constabulary. It was itself amalgamated with the Flintshire and Denbighshire Constabularies in 1967 to form a new police force. Then in 1974, the new administrative county of Gwynedd was formed, covering the western part of the police area. The force was renamed North Wales Police on 1 April 1974.

QUARTER SESSIONS COURT

The most influential court which dealt with county administration and criminal activity locally was the Court of Quarter Sessions. The Court was so called because it met four times a year, at Epiphany, Easter, Trinity and Michaelmas. It dated back to the Tudor Period, but the extant records for Merioneth only survive from 1733 onwards. It dealt with criminal offences, such as theft and assault, and with administrative business (poor law, local taxation, registration of dissenting meeting houses and upkeep of roads and bridges). It was also a court of record and a number of documents had by law to be deposited with the Clerk of the Peace. The central record is the sessions or roll, containing documents such as recognizances for appearance in court, indictments or charges, presentments of offences, witnesses' depositions, jurors' lists, calendars of prisoners, removal orders and settlement certificates. However, its administrative duties were finally lost with the creation of county councils in 1888.

THE COUNTY GAOL

The earliest reference to a county gaol as such is a building situated on the site of the 'The Meirionnydd' in Smithfield Square. This

yn cynnwys ymrwymiadau, cyhuddiadau neu siarsiau, cyflwyniadau, tystiolaeth tystion, rhestri rheithwyr, calendr carcharorion, gorchmynion symud a thystysgrifau setlo. Fodd bynnag, cafwyd gwared ar y dyletswyddau gweinyddol hyn pan grëwyd y cynghorau sir yn 1888.

CARCHAR Y SIR

Mae'r cyfeiriad cynharaf at garchar sirol yn y dref yn ei leoli ar safle presennol gwesty'r Meirionnydd ym Mhorth Canol. Caewyd yr adeilad yn 1813 pan godwyd carchar newydd pwrpasol ar safle Bodlondeb. Credir fod yr adeilad ym Mhorth Canol a dderbyniodd ymweliad gan y dyngarwr John Howard yn 1774, ar safle adeilad hŷn a ddymchwelwyd yn 1765.

Un o'r rhai olaf i'w garcharu yn yr hen adeilad oedd Thomas Edwards, a adwaenid yn well fel yr Hwntw Mawr. Llafurwr ydoedd a gyflogid ar Gob Porthmadog. Cafwyd ef yn euog o lofruddio morwyn ym Mhenrhyn Isaf, fferm ar gyrion pentref Penrhyndeudraeth. Thomas Edwards, a oedd yn 70 oed, oedd y gŵr olaf i'w grogi'n gyhoeddus yn

Nolgellau ar 17 Ebrill 1813.

Cadwaladr Jones, ffermwr 24 oed o'r Parc, Bwlch Coch uwchben y dref oedd y gŵr olaf i'w grogi yn Nolgellau ar 23 Tachwedd 1877 am lofruddio Sarah Hughes. Costiodd y crocbren £65 4s 2d. Caewyd y carchardy ym mis Ebrill 1878 a chodwyd rhes tai Bodlondeb ar y safle.

CYNGHORAU

Hyd y flwyddyn 1974, cafwyd tri chyngor yn nhref Dolgellau. Yn gyntaf, Cyngor Sir Feirionnydd a sefydlwyd yn 1888 gyda Dolgellau yn brif dref sirol. Cychwynnodd y cyngor gweinyddol hwn ar 1 Ebrill 1889 a daeth i ben ar 1 Ebrill 1974 pan ffurfiwyd Cyngor Sir Gwynedd. Y cynghorau eraill yn y dref oedd Cyngor Tref Dolgellau a Chyngor Gwledig Dolgellau a ffurfiwyd yn 1894 gan gymryd lle'r hen awdurdodau iechyd, y 'local board'. Daeth y rhain hefyd i ben yn 1974 a ffurfiwyd awdurdod mwy yn cynrychioli rhan helaeth o'r hen sir yn drefol a gwledig. Gelwid y cyngor hwn yn Gyngor Dosbarth Meirionnydd a daeth i ben yn 1996 gan ddod yn rhan o'r Gwynedd newydd.

125. Cadwaladr Jones (llun gyferbyn)
Roedd llofruddiaeth Sarah Hughes gan Cadwaladr Jones o dyddyn y Parc, Bwlch Coch uwchben y dref yn ddigwyddiad brawychus mewn tref fechan, gapelgar fel Dolgellau. Claddodd Cadwaladr Jones gorff Sarah Hughes oddi tan Tyddyn y Parc. Ond, mewn pwl o banig, aeth Jones ati i godi'r corff a'i ddarnio gan daflyd rhannau i'r afon Aran gerllaw. Darganfuwyd rhai o'r rhannau hyn gan bobl leol, a hyn, yn ôl y sôn, a seliodd ei dynged. Ef oedd y person olaf i'w grogi yng ngharchar Dolgellau a safai ar safle presennol tai Bodlondeb (ag uchelolau yn y llun gyferbyn). Dangoswyd peth cydymdeimlad â'r llofrudd erbyn diwedd ei daith ac ychydig iawn o groeso a gafodd y crogwr cyhoeddus, William Marwood, pan gyrhaeddodd y dref ar y trên o Gaer.

125. Cadwaladr Jones (picture opposite)
The murder of Sarah Hughes by Cadwaladr Jones of Tyddyn y Parc, Bwlch Coch above the town was a horrific experience for the chapel-going citizens of Dolgellau. Jones buried Sarah Hughes' body below Tyddyn y Parc. However, It has been said that Jones' fate was determined after he dug up the body, cut it up and threw parts into the river Aran below, where subsequently they were discovered in the river by local people. He was the last person to be hanged at Dolgellau Gaol which stood on the site of the Bodlondeb houses today (highlighted). There was a certain amount of sympathy for the murderer by the end of his trial, and the public hangman, William Marwood, was given a cold reception on his arrival in the town by train from Chester.

building closed in 1813 when the new county jail at the Bodlondeb site opened. It is generally believed that the town centre site in Smithfield Square, which was visited by the philanthropist John Howard in 1774, replaced a previous building which was demolished in 1765.

One of the last people to be incarcerated at the old county gaol was Thomas Edwards, better known as *Yr Hwntw Mawr* (the Big Southwalian). He was a labourer employed on the Cob embankment, who was found guilty of the murder of a maid at Penrhyn Isaf on the outskirts of Penrhyndeudraeth. The seventy year old Thomas Edwards was the last man to be publically hanged at Dolgellau on 17 April 1813.

Cadwaladr Jones, a twenty four year old farmer, from Parc, Bwlch Coch has the dubious distinction of being the last man to be hanged in Dolgellau on 23 November 1877 for the murder of Sarah Hughes. The scaffold itself cost the county magistrates £65 4s 2d.

The County Gaol closed in April 1878 and a row of houses called Bodlondeb was built on the site.

COUNCILS

Until 1974, three distinct councils were based at Dolgellau. Firstly Merionethshire County Council established in 1888 with Dolgellau as the county town. It began to function on 1 April 1889. The others were the Dolgellau Urban and the Dolgellau Rural Councils, formed in 1894, replacing the earlier sanitary districts. All three were abolished in 1974 in favour of a new, two-tier system of county and district authorities. The new Meirionnydd District Council, based in Dolgellau, took over the functions of all the urban and district councils in Meirionnydd, while the county functions were run from Caernarfon by the new Gwynedd County Council. And then, in 1996, district councils in Wales were abolished and new unitary authorities established, controlling all local government functions. Meirionnydd became part of the new Gwynedd Council.

125

127. Major Thomas William Best, Prif Gwnstabl Meirionnydd 1883-1907.
127. Major Thomas William Best, Merioneth's Chief Constable 1883-1907.

128. Thomas Jones, Prif Gwnstabl Heddlu Meirionnydd, 1907-1910.
128. Thomas Jones, Chief Constable of the Merioneth Police Force, 1907-1910.

126. Cynrychiolwyr Heddlu'r Sir o flaen Gwesty'r Angel a dynnwyd i lawr yn 1923 i wneud lle i Fanc y Midland (HSBC erbyn heddiw). Mae'n debyg y cymerwyd y llun ar achlysur arbennig megis cyfarfod o'r brawdlys.
126. Representatives of the Merioneth Constabulary photographed in front of the Angel Hotel which was demolished to make way for the MIdland Bank. It would have been taken on a special occasion such as an Assizes meeting.

129. Richard Jones, yn enedigol o Geredigion, Prif Gwnstabl Heddlu Meirionnydd o 1911 hyd 1950.
129. Richard Jones, born in Ceredigion, Chief Constable of the Merioneth force from 1911 to 1950.

130. Llun a gymerwyd o heddlu Meirionnydd ar 1af Hydref 1950 ar achlysur yr uniad gyda heddluoedd Môn ac Arfon. Mae Richard Jones, y Prif Gwnstabl, yn y rhes flaen, y pedwerydd o'r chwith.
130. Photograph of the Merioneth Constabulary taken on 1st October 1950 on the occasion of the amalgamation of the county force with the Môn and Arfon forces. Richard Jones, the Chief Constable is seated in the front row, fourth from left.

131. Y Frigâd Dân tu allan i Westy'r Llew Aur. Mae Mr Edward Jones, Pennaeth y Frigâd, yn eistedd yng nghanol y rhes flaen gyda Richard Jones, y Prif Gwnstabl, ar ei law dde.

131. The Fire Brigade outside the Lion Hotel. The Head Fireman, Mr Edward Jones, is sitting in the centre of the front row with Mr Richard Jones, the Chief Constable, on his right.

132. Y Frigâd ar waith tu allan i siop bresennol Wilkins, W H Smith cyn hynny a Siop Arnfield cyn hynny – o bosibl yn pwmpio dŵr o seleri yn dilyn llifogydd yn y dref.

132. The Brigade at work outside Wilkins Newsagents' Shop, formerly W H Smith and before that, Arnfield's – pumping water from cellars after flooding in the town.

133. Mr Edward Jones, Bethel House, sylfaenydd y Frigâd Dân yn y dref. Gelwid ef ar lafar yn 'Jones y Dŵr'.

133. Mr Edward Jones, Bethel House, founder of the town's Fire Brigade. He was known locally as 'Jones y Dŵr' – (Jones the Water).

134. Cyfarfod olaf o'r Llys Chwarter yn y Llys Sirol ar 23 Rhagfyr 1971. Yr Arglwydd Emlyn Hooson yw'r barnwr yn eistedd ar y chwith a'r ddau fargyfreithiwr yw John Morris, Arglwydd Morris o Aberafan erbyn hyn, ar y chwith, ac Alex Carlile, yr Arglwydd Alex Carlile o Aberriw, ar y dde.

134. The last sitting of the Court of Quarter Sessions held on 23 December 1971. Lord Emlyn Hooson is the judge sitting on the left and the two barristers are John Morris, now Lord Morris of Aberavon, on the left and Alex Carlile, now Lord Alex Carlile of Berriew, on the right.

135. Cae Penarlâg o'r awyr tua 1960. Gweler hen Ysgol yr Eglwys a'r orsaf drên. Mae tai Ystad y Fronallt newydd eu codi.

135. Cae Penarlâg from the air, c. 1960. Note the old Church School and the railway station. The houses on the Fronallt Estate have just been built.

140. Arfbais yr hen Gyngor Sir Meirionnydd.
140. Coat-of-Arms of the former Merioneth County Council.

141. Cyngor Sir Meirionnydd. Cyfarfod agoriadol swyddogol swyddfeydd a siambr newydd Cae Penarlâg yn 1953.
141. Merioneth County Council. The official opening of the new offices and chamber at Cae Penarlâg, 1953.

142. Llun a dynnwyd yn y Siambr yng Nghae Penarlâg ar achlysur cyfarfod olaf Cyngor Sir Meirionnydd ar Fawrth 13eg, 1974. Rhwng 1974 a 1996 bu Meirionnydd yn rhan o gyfundrefn ddeuris lle y rhennid dyletswyddau llywodraeth leol rhwng Cyngor Sir Gwynedd yng Nghaernarfon a Chyngor Dosbarth Meirionnydd yn Nolgellau.

142. A photograph taken in the Chamber at Cae Penarlâg on the occasion of the final meeting of Merioneth County Council on 13th February, 1974. Between 1974 and 1996, Meirionnydd became part of a two-tier system where local government responsibilities were shared between Gwynedd County Council in Caernarfon and Meirionnydd District Council in Dolgellau.

Bu crefydd yn wastad yn chwarae rhan bwysig ym mywydau pobl Dolgellau. Ceir cyfeiriad at eglwys ym 1253 er bod yr Eglwys Santes Fair bresennol yn dyddio o 1716. Dywedir bod yr wyth golofn bren sydd yn cynnal y to wedi eu llusgo dros y bwlch o Ddinas Mawddwy gan ychen. Os edrychwch yn ofalus ar rai o'r cerrig beddi ym mynwent yr eglwys, fe welwch ôl printiau llaw ond ni wyddys erbyn hyn beth oedd gwir bwrpas yr arferiad anghyffredin hwn.

Gerllaw, sefydlwyd Abaty Cymer gan y Sistersiaid ym 1197 dan nawdd Gruffudd ap Cynan, Tywysog Gogledd Cymru a fu farw ym 1200. Cyhoeddwyd siarter dyddiedig 1209 gan Llywelyn Fawr, y mae copi ohono'n bodoli hyd heddiw, a gyflwynodd diroedd ym Meirionnydd a Chaernarfon i'r Abaty. Mewn gwirionedd, dim ond ychydig o fynaich oedd yn dal i fyw yno erbyn Diddymiad y Mynachlogydd ym 1537. Fodd bynnag, daeth yr Abaty yn destun siarad eto ym 1890 pan ddaethpwyd o hyd i gwpan cymun a phlât aur o wneuthuriad hardd a gwerthfawr gan fwyngloddwyr aur yng Nghwm Mynach, ryw bedair milltir i ffwrdd a guddiwyd, mae'n debyg, mewn plas neu fferm o eiddo'r Abaty rhag ysbeilwyr Harri VIII.

CRYNWYR

Yn dilyn cyfnod cythryblus, yn nhermu crefyddol, yn ystod y 16eg a'r 17eg ganrif, un o'r achosion ymneilltuol cynharaf i gael effaith ar y dref a'r cyffiniau oedd achos y Crynwyr neu Gymdeithas y Cyfeillion. Ym 1661, ceir y cyfeiriad eglur cyntaf at fodolaeth Crynwyr ym Meirionnydd mewn taflen sydd yn rhestru enwau'r rhai a ddioddefodd yn ystod yr haf blaenorol oherwydd eu daliadau crefyddol. Yn ffodus, gellir adnabod rhai ohonynt o gyffiniau Dolgellau, – Owen Lewis o Dyddyn-y-Garreg, Tabor, er enghraifft. Roedd yn fab i Lewis Owen, ac yn aelod o deulu hynod y Llwyn, Dolgellau. Roedd Lewis Owen yn un o brif uchelwyr yr ardal ac fe sefydlodd fan cyfarfod yn ei dŷ ei hun. Darparodd hefyd lain gladdu ar gyfer y Cyfeillion, fel y galwent eu hunain, sydd wedi goroesi, er i'r arysgrifau ar y cerrig presennol berthyn i gladdedigaethau mwy diweddar gan Annibynwyr.

Daeth eraill yn adnabyddus hefyd, megis Rowland Ellis Brynmawr y bu ei fferm o'r un enw ym Mhensylfania yn safle i goleg enwog i ferched; ac Ellis Pugh o'r Brithdir a ysgrifennodd y llyfr Cymraeg cyntaf i gael ei gyhoeddi yn America. Ymfudodd llawer o Grynwyr i Feirion, sef yr Ardal Gymreig ym Mhensylfania, er mwyn osgoi cael eu herlid yn y wlad yma oherwydd eu daliadau crefyddol.

Codwyd y capel presennol yn Nhabor yn wreiddiol ar gyfer y Crynwyr, yn bennaf trwy ymdrechion Dorti Owen, Dewisbren Ucha ger Tir Stent a oedd bryd hynny'n rhan o ystâd Tyddyn-y-Garreg. Cwblhawyd yr adeilad ym 1792 a daliodd ym meddiant y Crynwyr am 55 o flynyddoedd. Hefyd, byddai gan y Crynwyr dŷ cwrdd bach ym Mhenucha'r dre bron yn union ar gyfer y capel Methodistaidd cynnar.

Yn dilyn ymfudo Crynwyr Meirionnydd i Bensylfania yn hwyr yn yr 17eg ganrif, ciliodd dylanwad yr achos yn y cylch a daeth yr Annibynwyr yn fwy dylanwadol.

TABERNACL Capel yr Annibynwyr

Un o'r bobl fwyaf blaenllaw o fewn achos yr Annibynwyr yn Nolgellau a'r cylch oedd Hugh Pugh, Tynant, Y Brithdir (1779-1809). Dechreuodd bregethu yn Nolgellau ym Mhenbrynglas ond ym 1808 fe brynodd hen gapel y Methodistiaid Calfinaidd/Presbyteriaid ym Mhenucha'r dref am £500. Rhannwyd yr adeilad gan y ddau enwad am gyfnod hyd nes i Salem, sef capel newydd y Presbyteriaid, gael ei adeiladu ym Mhenbryn. Roedd cylch ei weinidogaeth yn ymestyn dros ardal eang, o Lanuwchllyn i Arthog a'r Bermo. Cadwaladr Jones o Lanuwchllyn a ordeiniwyd ym mis Mai 1811 a'i olynodd a bu yntau'n gwasanaethu'r ardal am dros 40 mlynedd. O dan ei oruchwyliaeth ef, adeiladwyd capel newydd ar safle rhwng y Lawnt a Phenbryn, sef y Tabernacl presennol, am gost o £2,800. Agorwyd y capel yn swyddogol ar Fehefin 4ydd, 1868 ac yn fuan wedyn, ym mis Ionawr 1869, daeth Evan A Jones yn weinidog. Ym 1878 sefydlwyd Capel Saesneg i'r enwad ar dir ym Mhenbryn, bron gyferbyn â'r Tabernacl. Bydd llawer yn cofio'r Parchedig Hywel Wyn Richards yn weinidog ar

Dolgellau has always been a town where religion formed an important part of daily life. Reference to a church was made in 1253 although the present St Mary's Church dates from 1716. The eight wooden columns which hold up the roof were said to have been carried over the pass by oxen from Dinas Mawddwy. If you look carefully at the churchyard graves, you will find hand prints outlined on some of them. The true origin of this curious custom, however, is not known.

Nearby, Cymer Abbey was established by the Cistercians in 1197 under the patronage of Gruffudd ap Cynan, Prince of North Wales who died in 1200. A charter dated 1209, a copy of which still exists, was issued by Llywelyn the Great granting lands to the abbey in Merioneth and Caernarfon. Few monks actually remained there by the time of the Dissolution in 1537. However, the Abbey was back in the news in 1890 when a beautiful and high quality gold chalice and patten were found by gold miners in Cwm Mynach four miles away, probably hidden on an Abbey grange or farm from Henry VIII's valuers.

QUAKERS

Following a turbulent period during the 16C and early 17C in religious terms, one of the earliest non-conformist causes to have an impact on the town and surrounding area were the Quakers or the Society of Friends. In 1661, we have the first clear reference to Quakers in Merioneth in a pamphlet, which lists those who had suffered the previous summer for their religious beliefs. Fortunately we are able to identify a number of them from the Dolgellau area. Owen Lewis of Tyddyn-y-Garreg, Tabor, for instance. He was a son of Lewis Owen, and a member of the remarkable Owen family of Llwyn, Dolgellau. Lewis Owen was one of the leading gentry of the district who started a meeting place at his own house. He also provided the Friends, as they referred to themselves, with a burial ground, which has survived, although the present stones bear inscriptions of later Independent or Congregational burials.

Other important figures were Rowland Ellis of Brynmawr whose farm in Pennsylvania, also named Brynmawr, became the site of a famous women's college. Ellis Pugh from Brithdir wrote the first Welsh book to be published in America. Many Quakers emigrated to Merion in the Welsh Tract of Pennsylvania to avoid persecution in this country for their religious beliefs.

The present-day chapel at Tabor was originally built for the Quakers chiefly through the efforts of Dorothy Owen, usually referred to in Welsh as Dorti Owen, of Dewisbren Ucha near Tir Stent which then formed a part of the Tyddyn-y-Garreg estate. The building was completed in 1792 and was retained by the Friends for 55 years. There was also a small Quaker meeting house in South Street practically opposite the early Methodist chapel.

Following the emigration of Merioneth Quakers to Pennsylvania in the late seventeenth century, the influence of the cause weakened in the area and the Independents grew in influence.

TABERNACL Independent Chapel

One of the outstanding figures in the Independents' cause in Dolgellau and its surrounding area was Hugh Pugh (1779-1809) from Tynant, Brithdir. He started preaching at Dolgellau, apparently at Penbrynglas, but in 1808 he bought the old Calvinistic Methodist chapel in Penucha'r dref at a cost of £500. The two denominations shared the premises for a period until Salem, the new Calvinistic Methodist Chapel, was built at Penbryn. The Independent or Congregationalist ministry served an extensive area stretching from Llanuwchllyn to Arthog and Barmouth. Hugh Pugh was succeeded by Cadwaladr Jones from Llanuwchllyn. He was ordained as minister in May 1811 and served the area for well over 40 years. Under his stewardship a new chapel was planned on a site between the Lawnt and Penbryn, the present Tabernacl Chapel, built at a total cost of £2,800. The chapel was officially opened on June 4 1868 and Evan A Jones became minister shortly afterwards in January 1869. In 1878 an English Chapel was established on land

CREFYDD

yr enwad dros gyfnod hir o flynyddoedd. Yn rhyfeddol, prin iawn yw'r newidiadau a wnaed i'r capel yn ystod y 145 o flynyddoedd ei hanes.

SALEM/BETHEL/CAPEL SAESNEG Prebyteriaid

Prynwyd tir ar gyfer codi capel ym Mhenucha'r dre oddi wrth Dr Henry Owen, Crynwr lleol. Hwn oedd y capel a werthwyd yn ddiweddarach i'r Annibynwyr ar ôl i Gapel Salem, a adwaenid fel y capel mwyaf yng Ngwynedd ar y pryd, gael ei adeiladu ym Mai 1809. Ym 1877, sefydlodd y Presbyteriaid ddwy gangen i'r prif achos yn Salem, sef Capel Bethel yn Ffos y Felin a'r Capel Saesneg yn Heol Glyndŵr. Dyluniwyd Capel Bethel gan Richard Owen, Lerpwl a John Thomas, Dolgellau a'i adeiladodd. Humphrey Jones, Tanybryn, Y Lawnt oedd pensaer y Capel Saesneg yng Nghae Tanws Mawr. Adeiladwyd y ddau gapel am £2,000 a dywedir bod lle i gynulleidfa o dros 2,000 o bobl rhwng y ddau le. Erbyn hyn, mae Bethel yn gartref i Siop Spar a'r Swyddfa Bost. Mae'r Capel Saesneg hefyd wedi cau a'i droi yn Theatr Fach i grŵp o actorion amatur (DADS). Ym Mhenbryn y mae Capel Salem a'r Parchedig Dewi Williams ac, wedi'i farwolaeth, ei wraig Megan a fu'n gweinidogaethu yno am flynyddoedd lawer. Y mae mynwent fechan y tu cefn i'r adeilad. Adnewyddwyd rhannau o'r capel dros y blynyddoedd, ond mae darnau helaeth o'r cefn yn debyg o fod yn wreiddiol.

JUDA Bedyddwyr

Ym 1795, trwyddedwyd tŷ ger Pont yr Aran fel tŷ cwrdd ar gyfer achos y Bedyddwyr yn Nolgellau a bedyddiwyd 13 yn yr afon wrth y bont gan J R Jones, Ramoth, gweinidog adnabyddus gyda'r Bedyddwyr. Bu J R Jones a'i gefnder yn gweinidogaethu ar y cyd yn y dref hyd nes iddynt anghytuno ar fater athrawiaethol ac aeth JR at y Bedyddwyr Albanaidd. Codwyd yr adeilad cyntaf ym Mhenbryn ym 1800. Ailadeiladwyd ym 1839 a gwnaed nifer o newidiadau iddo dros y blynyddoedd, yn fwyaf arbennig yn ystod y 1880au ac wedyn ym 1928.

EBENEZER Wesleaid

Codwyd y Capel Wesleaidd presennol ym 1880 am bris o oddeutu £3,300. Ymateb i boblogrwydd yr achos Wesleaidd yn y dref yn ystod 19eg ganrif oedd yr adeilad ysblennydd hwn a gymerodd le capel cynharach a godwyd ym Mhenucha'r dre ym 1806 am £1,124. Mae cyflwr y capel presennol yn debyg iawn i'r hyn yr oedd yn wreiddiol ac yn cael ei ystyried fel esiampl nodedig o waith y pensaer capeli adnabyddus, Richard Davies o Fangor.

Yn fwy diweddar, adeiladwyd Kingdom Hall ar gyfer cynulleidfa o Dystion Jehovah. Adeiladwyd y neuadd mewn penwythnos o gydweithio gwirfoddol ffyrnig. Lleolir ym Mhenucha'r dref ar safle'r hen Ffatri Fawr.

143. Abaty Cymer, Llanelltyd, a sefydlwyd gan y Sistersiaid yn y 13eg ganrif. [Ysgythriad gan y Brodyr Buck a gynhyrchwyd fel print ar gyfer 'The Modern Universal British Traveller' yn 1779.]

143

practically opposite the Tabernacl at Penbryn. Many will remember the Reverend Hywel Wyn Richards serving this community for many years. Remarkably, the chapel has hardly been altered in its 145 year history.

SALEM / BETHEL / ENGLISH CHAPEL Prebyterian

Land was bought for a chapel in the part of the town called Penucha'r dre from Dr Henry Owen, a local Quaker. This was the chapel which was later sold to the Independents after Salem Chapel was built in May 1809, reputedly the largest chapel in Gwynedd at the time. In 1877, the Methodists established two offshoots of Salem – Bethel Chapel in Smithfield Street and the English Chapel in Glyndŵr Street. Bethel Chapel was designed by Richard Owen, Liverpool and built by John Thomas, Dolgellau. The English Chapel in Cae Tanws Mawr was designed by Humphrey Jones, Tanybryn, Lawnt, Dolgellau. Both were built at a cost of £2,000 and between them were reputed to hold a congregation of 2,000 people. Bethel now houses the Spar Shop

and Post Office. The English Chapel has also closed its doors and is now the Theatr Fach, run by the Dolgellau Amateur Dramatic Society (DADS). Salem Chapel is located in Penbryn and the Reverend Dewi Wyn Williams and, following his death, his wife, the Reverend Megan Williams, ministered here for many years. A small burial ground is situated to the rear of the chapel. This chapel has been renovated over the years but much of the rear is probably original.

JUDA Baptist

In 1795, a house at Bont yr Aran was licensed as a meeting place for the Baptist cause in Dolgellau and 13 were baptised in the river near the bridge by the well known Baptist minister, J R Jones, Ramoth. His cousin held joint ministry with him in the town for a period until J R Jones fell out with him on doctrinal matters and joined the Scotch Baptists. The first building at Penbryn was erected in 1800. This was re-built in 1839 and has undergone some further changes over the years, particularly during the 1880s and in 1928.

EBENEZER Wesleyan

The present Wesleyan Chapel, Ebenezer, was built in 1880 at a cost of around £3,300. This majestic building was built in response to the growth in the popularity of the cause in Dolgellau during the nineteenth century and replaced an earlier chapel built in South Street in 1806 at a total cost of £1,124. The present chapel retains its original condition and is considered to be a fine example of the work of the eminent chapel architect, Richard Davies of Bangor.

In more recent times a Kingdom Hall was built for the Dolgellau congregation of Jehovah's Witnesses. The hall was raised in a weekend of co-operative building activity. It is located in South Street on the site of the old woollen factory known as Ffatri Fawr.

143. Cymer Abbey, Llanelltyd, founded by the Cistercians in the 13th century. [An 18th century engraving by the Buck Brothers produced as a print for 'The Modern Universal British Traveller' in 1779.]

144

145

145. Tyddyn-y-Garreg, Tabor, a fu'n dŷ cwrdd i'r Crynwyr yn yr 17eg ganr
Roedd yn gartref i Lewis Owen a roddodd ddarn o'r tir i'w ddefnyddio fel
mynwent.

145. Tyddyn-y-Garreg, Tabor, a meeting place for Quakers in the 17th cer
It was home to Lewis Owen who gave a piece of the land to be used as a
cemetery.

144. Evan Evans, Sarah ac Evie tu allan i'w cartref, Brynmawr, a fu'n gartref i
Rowland Ellis yn yr 17eg ganrif, Crynwr blaenllaw a ffodd i Bensylfania rhag
erledigaeth yr awdurdodau yng Nghymru.

144. Evan Evans, Sarah and Evie outside their home, Brynmawr, which was
once home to Rowland Ellis. a prominent Quaker in the 17th century who
fled to Pennsylvania to escape persecution by the authorities in Wales.

146. Gwaith tapestri yn olrhain hanes y Crynwyr ym Meirionnydd. Roedd
y gwaith yn rhan o brosiect rhyngwladol yn ystod yr 1980au. Gwnaed y
brodwaith yn bennaf gan aelodau o Urdd Brodwaith Meirionnydd.

146. Tapestry relating to the history of the Merioneth Quakers. The work was
completed as part of an international project in the 1980s. This panel was
produced by members of the Merioneth Embroiderers' Guild.

147. Darn allan o *Lyfr Dioddefaint y Crynwyr* yn cyfeirio at Feirionnydd ac
enwi rhai o ardal Dolgellau a fu'n cael eu herlid yn y flwyddyn 1660.

147. A section from the *Quakers' Book of Sufferings* which refers to
Merioneth, and names people from the Dolgellau area who had been the
victims of persecution in the year 1660.

146

147

In MERIONETHSHIRE, in the Month called *August* this Year, about fourtee
Friends being met for religious Worſhip, were aſſaulted by *Alban Vaughan*, ar
ſeveral rude Perſons armed with Swords, who haled them out of the Meetin
place, and threatned to carry them to *Carmarthen* Caſtle, being twenty
Miles off, but after they had driven them (frequently ſtriking them with th
Swords) about two Miles, they let them go : But, a few Days after, the fan
Party of armed Men on Horſeback, came to the ſeveral Dwellings of tho
whom they had before ſo abuſed, and haled them out by Force, ſome out
their Beds, wounding, beating, and bruiſing ſeveral, and drove them alon
on Foot before their Horſes, twenty Miles, to a Town called *Baala* : Four
them were required to take the Oath of Allegiance, and for refuſing it, we
committed to the Goaler's Cuſtody, who put Fetters upon them, and cauſe
them to go iron'd twelve Miles to Priſon, where he kept them with others
their Friends, above twenty in all, about fifteen or ſixteen Weeks, not ſufferin
any to carry them Food or other Neceſſaries, and taking away their Bible
Inkhorns, Knives, and Money, and daily inſulting and abuſing them in a ba
barous Manner. The Names of thoſe who ſuffered under that tyrannical Goal
were, *Thomas Lewis, Rice Jones, John Humphry, William Jones, John Meredit*
Joane Owen Widow, *Samuel Humphry, Robert Owen, John Williams* jun. *Thom*
Ellis, Lewis Ap Humphry, Joane Humphry, John William, Owen Lewis, Joh
Evan, Hugh Ap Rees, Meredith Edward, Katharine Williams, Evan Jones
Owen Humphry, Richard Jones, William Ap Rees, and *Henry Thomas.* Sever
of the ſaid Perſons, during their Impriſonment, had their Cattle ſeized on i
great Numbers, about ſix Hundred and fifty Head of Cattle in all, which wer
driven to *Baala*, and there ſold, and the Money diſpoſed of at the Pleaſure o
the Proſecutors, without rendring any Account thereof to the Owners.

On the 15th of *October*, eighteen Perſons for refuſing to Swear, were com
mitted to Priſon, as appears by the following *Mittimus*, viz.

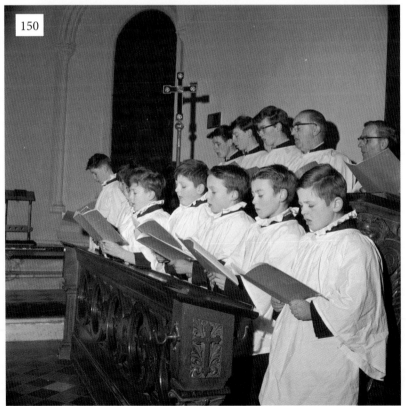

148. Y tu mewn i Eglwys Santes Fair, Dolgellau
148. Inside St Mary's Church, Dolgellau

149. Y Parchedig Elias Hughes, Rheithor Dolgellau, Mai 1953.
[Llun trwy ganiatâd LlGC.]
149. Reverend Elias Hughes, Rector of Dolgellau, May 1953.
[Picture by permission of the NLW.]

150. Côr Eglwys Santes Fair Dolgellau, Rhagfyr 1961.
[Llun trwy ganiatâd LlGC.]
150. The choir of St Mary's Church Dolgellau, December 1961.
[Picture by permission of the NLW.]

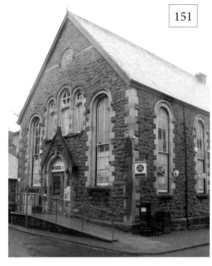

151

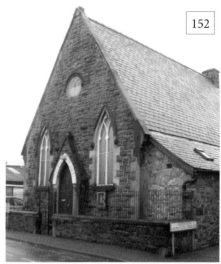

152

151. Capel Bethel yn Ffos y Felin, un o ganghennau'r achos Presbyteraidd yn Nolgellau a godwyd yn 1877. Mae'r adeilad erbyn hyn yn gartref i Swyddfa'r Bost a Siop Spar.
151. Bethel Chapel in Smithfield Street, one of the three Presbyterian chapels in Dolgellau. Built in 1877, it now houses the Post Office and Spar Shop.

152. Y Capel Saesneg yng Nghae Tanws Mawr sydd bellach yn theatr fach i'r cwmni amatur DADS.
152. The English Chapel in Glyndŵr Street which is now a small theatre, home to the amateur company, DADS.

153. Adroddiad Blynyddol 1918
153. Annual Report for 1918.

153

DOLGELLAU.

Adroddiad Blynyddol

EGLWYSI

METHODISTIAID CALFINAIDD

SALEM, BETHEL, a'r PENMAEN,

AM Y

FLWYDDYN 1918.

SWYDDOGION YR EGLWYSI :—

Gweinidog :—

PARCH. T. MORDAF PIERCE.

Blaenoriaid :—

SALEM.

Mr. EDWARD GRIFFITH, U.H.	Mr. RICHARD GRIFFITH
Mr. JOHN THOMAS	Mr. RICHARD JONES
Mr. R. C. EVANS	Mr. RICHARD ROBERTS
Mr. EVAN EDWARDS	Mr. EDWARD WILLIAMS

BETHEL.

Mr. RICHARD MILLS	Mr. ROBERT JAMES
Mr. DAVID WILLIAMS	Mr. D. R. JONES
Mr. E. ELLIS EVANS	Mr. D. R. MILLS
	Mr. JOHN OWEN

PENMAEN.

Mr. W. R. WILLIAMS	Mr. WILLIAM HUGHES
	Mr. THOMAS H. FENN

Dolgellau : Argraffwyd gan Edward Williams.

154

154. Capel Salem, Penbryn, prif adeilad y Presbyteriaid yn Nolgellau. Adeiladwyd ym 1809 ac ystyrid ef y capel mwyaf yng Ngwynedd ar y pryd.
154. Salem Chapel, Penbryn, the Presbyterians' principal building in Dolgellau. Built in 1809, it was said to be the largest chapel in Gwynedd at the time.

155. Capel y Tabernacl a adeiladwyd ym 1868 dan oruchwyliaeth y gweinidog ar y pryd, Cadwaladr Jones a hanai o Lanuwchllyn.

155. Tabernacl Chapel built in 1868 under the stewardship of the then minister, Cadwaladr Jones who came from Llanuwchllyn.

156. Aelodau'r Tabernacl o flaen drws blaen y capel ar achlysur yr agoriad swyddogol ar Fehefin 4ydd 1868.

156. Members of Tabernacl Chapel pose for the camera on the occasion of the official opening of the building on 4th June 1868

157. Côr Dafydd Rowlands yn barod ar gyfer perfformiad. Cychwynnodd David Ellis Rowlands ar ei yrfa fel arweinydd gyda chôr cymysg yn Y Tabernacl yn 1924 a ddatblygodd yn gôr meibion erbyn 1933. Bu'r côr yn brysur adeg yr Ail Ryfel Byd yn codi arian ar gyfer amryfal elusennau.

157. Dafydd Rowlands' choir dressed for a performance. David Ellis Rowlands started out as a conductor of a mixed choir at the Tabernacl Chapel in 1924. It became a male voice choir in 1933 and proved popular during the Second World War, raising money for various charities.

RELIGION

158. Yr adeilad ym Mhenucha'r dre a godwyd yn 1806 ar gost o £1,124 oedd cartref cyntaf yr Achos Wesleaidd yn y dref.
158. The building in South Street, built in 1806 at a cost of £1,124, was the first home of the Wesleyan cause in the town.

159. Ebeneser. Codwyd y capel ysblennydd hwn yn 1880 fel cartref i'r nifer cynyddol o Wesleaid yn y dref am bris o £3,300. Y pensaer oedd Richard Davies o Fangor a oedd yn adnabyddus yn y cyfnod fel pensaer capeli.
159. Ebenezer. This imposing structure was built in 1880 as home to an increasing number of Wesleyans in the town at a cost of £3,300. The Architect was Richard Davies, Bangor, well-known at the time as designer of chapels.

160. Cymdeithas Chwiorydd Eglwys Wesleaidd Ebeneser, 1970 gyda'u gweinidog, y Parchedig Emrys Evans ar eu gwibdaith flynyddol. Roedd Emrys Evans hefyd yn ddyfarnwr pêl-droed yn ei amser hamdden
160. Members of the Women's Guild, Ebenezer Wesleyan Church, 1970 with their Minister, Reverend Emrys Evans on their annual outing. Emrys Evans was also a football referee in his spare time.

CREFYDD

161

163

161. Sgwad glanhau Capel Judah gyda'u Gweinidog, y Parchedig J Conway Davies (ar y dde), c. 1933. Adeiladwyd capel i'r Bedyddwyr ym Mhenbryn yn gyntaf yn 1800 ond ailgodwyd ef yn 1839 a gwnaed amryw o welliannau iddo dros y blynyddoedd.

161. Judah Chapel cleaning squad with their Minister, J Conway Davies (right), c. 1933. The Baptists first built a chapel in Penbryn in 1800 but it was rebuilt in 1839 and a number of improvements have been made to it over the years.

162. Elwys Gatholig Mair y Gofidiau. Canlyniad llafur cariad y Tad Scalpell a ddaeth o Malta i'r dref yn 1920 yw'r eglwys hon. Cyn codi'r eglwys byddai Catholigion y dref yn addoli mewn rhyw gwt o adeilad yng nghefn siop 'sglodion. Bu'r Tad Scalpell yn codi arian dros gyfnod maith ac erbyn 1963 roedd wedi hel digon i gychwyn adeiladu. Gorffennwyd yr eglwys yn 1966 ac fe gostiodd £68,000. Maurice Pritchard, Blaenau Ffestiniog, oedd y pensaer. Mae'r groes uwchben y drws wedi'i cherfio gan yr Athro Castiglione a fu'n gyfrifol am weithiau eraill yn Eglwys San Pedr yn Rhufain ac yn Eglwys Gadeiriol Milan. Edmygir rhai o ffenesrtri lliw yr eglwys gan gynnwys hon [163] sydd yn portreadu colomen yr Ysbryd Glân.

162. The Catholic Church of our Lady of Sorrows. This church was the life's work of Father Scalpell who came to the town in 1920 from Malta. Before the church was built, Catholics in the town worshipped in an old shed behind a fish and chips shop. Father Scalpell raised money over many years until there was enough to start building in 1963. The church was completed in 1966, costing £68,000. The Architect was Maurice Pritchard of Blaenau Ffestiniog. The crucifix above the main door is the work of Professor Castiglione, who is responsible for other works which appear in St Peter's, Rome and in Milan Cathedral. Some of the stained glass is much admired, including this one [163] which depicts the dove of the Holy Spirit.

162

Nid oedd teithio ar draws gwlad yn beth hawdd yng Ngogledd Cymru cyn y 18fed ganrif. O ganlyniad, defnyddid yr afonydd a'r aberoedd fel ffyrdd i gludo nwyddau o le i le, megis o Lerpwl i'r Bermo, ac yna i fyny afon Mawddach i'r Stordy a mannau glanio eraill ger Dolgellau.

Daeth tro ar fyd pan basiwyd y Deddfau Tyrpeg ar ddiwedd y 18fed ganrif a dechrau'r 19eg ganrif. Gwelwyd gwelliant mawr yng nghyflwr y ffyrdd. Roedd yn llawer haws mynd mewn coets ar hyd y ffyrdd tyrpeg newydd a dechreuodd pobl deithio'n bellach y tu hwnt i ffiniau'r sir.

Pan ddaeth y rheilffyrdd yn y 1860au, roedd y newid yn y ffordd y cysylltai pobl Dolgellau â'r byd y tu allan yn chwyldroadol. Agorwyd Gorsaf Dolgellau yn 1868 fel arhosfan i gwmnïau'r Cambrian a'r Great Western ar y cyd. Codwyd dwy orsaf mewn gwirionedd, un yn null y Great Western ar un ochr, a'r cynllun 'pysgodyn' a oedd yn nodweddiadol o'r Cambrian ar yr ochr arall.

Bu'r ddau gwmni'n cystadlu trwy gynnig gwell cyfleusterau i'r teithwyr. Cynhwysai adeiladau'r GWR Swyddfa Docynnau ynghyd â Swyddfa Barseli, Swyddfa i'r Gorsaf-Feistr, Ystafell Aros Gyffredinol, Ystafell Aros i Ferched, Ystafell Luniaeth, dau doiled ac Ystafell Giard. Roedd adeiladau'r Cambrian ar yr ochr arall yn cynnwys Swyddfa i'r Gorsaf-Feistr, Swyddfa Docynnau (caewyd y ddwy pan unwyd y ddau gwmni yn 1922), Ystafell Aros Gyffredinol, Ystafell Aros i Ferched a dau doiled.

Pan ailadeiladwyd yr orsaf ym 1925, codwyd pont droed ym mhen pellaf y llwyfannau aros. Cyn hyn, byddai teithwyr yn croesi'r lein trwy ddringo'r grisiau i'r ffordd ac yna i lawr ramp i'r ochr arall.

Daeth cyfleusterau busnes pwysig hefyd yn sgil y rheilffordd. Roedd Storfan Olew yn Nolgellau ynghyd â thanciau storio. Roedd pedwar seidin yn yr iard nwyddau yn cynnwys un a roddai fynediad i'r Storfan Olew, sied nwyddau sylweddol, offer llwytho glo a man ymdrin â da byw. Roedd gan Gwmni Cydweithredol yr Amaethwyr lleol sied sinc lle gellid storio nwyddau a'u dosbarthu oddi yno. Ar yr ochr uchaf (i gyfeiriad Rhiwabon), roedd yna lwyfan llwytho a seidin gyferbyn a ddefnyddid yn aml i gadw tryciau nwyddau dros nos.

Caewyd y lein o Riwabon i nwyddau ar Fai 4ydd 1964 ac i deithwyr a'r post ar Ragfyr 12fed 1964; ac yn y diwedd i deithwyr o Gyffordd y Bermo ar Ionawr 18fed, 1965. Does dim ar ôl bellach, heblaw am y darn o'r lein a gedwir yn agored gan gwmni Rheilffordd Llangollen, ac yn Nolgellau defnyddiwyd llwybr yr hen gledrau ar gyfer y ffordd osgoi bresennol.

Yn ogystal â'r rheilffyrdd, gwelwyd gwelliannau i'r ffyrdd. Ffeiriwyd yr hen siarabángs a dynnid gan geffylau efo rhai peiriannol yn gynnar yn yr 20fed ganrif. Daeth beiciau yn boblogaidd fel dull cyffredin o deithio a gwelwyd Heddlu Meirionnydd wedyn yn brysur yn erlid troseddwyr am feicio heb oleuadau! Ymysg casgliadau Meirionnydd yn yr Archifdy ceir cofnodion cofrestru perchnogion balch y moduron cyntaf, gan ddangos eu pwysigrwydd fel arwyddion llwyddiant yn y dyddiau cynnar hynny.

Bu Cwmni Moduron Caer, sef cwmni Crosville, a sefydlwyd ym 1906 gan George Crosland Taylor a Georges de Ville, yn gwasanaethu'r ardal am ran helaeth o'r cyfnod rhwng canol a diwedd yr 20fed ganrif. Daeth Arriva Wales wedyn i gymryd drosodd lawer o'r teithiau a reolid gynt gan Crosville, ynghyd â chwmnïau eraill megis Lloyd's Coaches ac Express Motors.

Travelling by land was no easy thing to do in North Wales before the 18C. As a result rivers and estuaries were the highways with goods transported by sea from large ports such as from Liverpool to Barmouth, and then brought up the Mawddach to Storehouse and other landing sites near Dolgellau.

The passing of Turnpike Acts during the latter part of the 18C and early 19C greatly improved the situation on the roads. The new turnpike roads made coach travel much easier and people travelled more extensively out of the county.

The coming of the railway in the 1860s revolutionised Dolgellau's links with the outside world. Dolgellau Station opened in 1868 as a joint stop between the Cambrian Railway and the rival Great Western Railway. As a result, two different stations were built, one in the Great

Western style on the up side and the Cambrian, with its distinctive 'fish' design, on the down side.

Both companies competed through offering better facilities for passengers. The GWR buildings, located on the up side comprised of a combined Booking and Parcels' Office, Station Master's Office, General Waiting Room, Ladies' Waiting Room, Refreshment Room, two lavatories and a Guards Room. The Cambrian buildings, on the down platform consisted of the Cambrian Station Master's Office, Booking Office (both of these were decommissioned after amalgamation in 1922), General Waiting Room, Ladies' Waiting Room and two lavatories.

During a rebuilding of the station in 1925, a footbridge was installed at the far end of the platforms. Prior to this, passengers crossed the line by walking up steps to the road, then down a ramp.

The railway also offered important business facilities. There was an Oil Depot at Dolgellau complete with storage tanks. The goods yard had four sidings, including the one that gave access to the Oil Depot, a fairly large goods shed, a coal handling facility and a cattle dock. The local Farmers Co-operative had a corrugated iron shed where goods were stored and distributed.

On the up side (towards Ruabon), there was a loading bay, and on the opposite side, a siding which was very often used to stable the 'shuttle' stock overnight.

The line closed to goods on the 4th May 1964 and to passengers and mail from Ruabon on12th December 1964. The line finally closed to passenger from Barmouth Junction on18th January 1965. Nothing, except the preserved section of the Llangollen Railway line, remains and the track bed at Dolgellau is now used by the present by-pass.

164. Bachgen a'i beni-ffardding, beic a oedd mewn bri yn y 1870au a'r 1880au, ond a gollodd boblogrwydd oherwydd y duedd i'r beiciwr blymio dros yr olwyn fawr a glanio ar ei ben!
164. A boy with his penny-farthing, a bicycle widely used in the 1870s and 1880s but which lost favour because of the rider's tendency to execute unintentional 'headers'!

Alongside the railways, roads were also being improved. Original horse drawn charabancs were replaced by motorised versions in the early 20th century. Bicycles were a common means of local transport during the early part of the 20C, and cycling offences such as riding without lights kept the Merioneth Constabulary on their toes during the early decades of the last century. In the Meirionnydd Archive, the registration records of Merioneth's proud owners of the first motor cars provide a fascinating glimpse into long forgotten versions of these early symbols of success.

The Chester Motor Company, Crosville, formed in 1906 by George Crosland Taylor and Georges de Ville, served the area well for much of the mid and latter part of the 20C. Arriva Wales has taken over most of the Crosville routes together with other companies such as Lloyd's Coaches and Express Motors.

164

TRANSPORT

165. Ceffyl a thrap tu allan i blasty Brynhyfryd ar waelod Ffordd y Gader. Codwyd y tŷ ar ddiwedd y 1820au gan Reithor Dolgellau ar y pryd, Thomas Griffith Roberts, yn niffyg rheithordy penodol yn y dref. Yma hefyd y byddai'r barnwr yn lletya ar un adeg pan ymwelai â'r dref yn sgil ei waith.

165. A horse and trap ouside Brynhyfryd at the bottom end of Cader Road. This substantial Victorian residence was built at the end of the 1820s by the then Dolgellau Rector, Thomas Griffith Roberts, there being no rectory *per se* in the town at the time. It also served as judges' lodgings at one time.

166. Beicio oedd y ffordd rataf a mwyaf effeithiol i bobl ifanc deithio o gwmpas yr ardal ar dro'r ganrif ddiwethaf.

166. Cycling was the cheapest and most effective way for young people to travel aound the area at the turn of the last century.

167. Gydag amser daeth y beic modur yn fwy fforddiadwy gan alluogi pobl i deithio ymhellach. Yr oedd y cerbyd modur yn parhau yn ddrud ac yn eiddo pobl cefnog am gyfnod maith.

167. As time went by, the motorbike became affordable and made it possible for people to travel further afield. The motor car was still very expensive and for a long time remained the plaything of the rich.

168. Rhai o staff Rheilffordd y Great Western (GWR). Gyferbyn roedd adeiladau a staff Rheilffordd Y Cambrian. Roedd y ddau gwmni yn hollol ar wahân hyd 1 Ionawr 1922 pan unwyd y ddau wasanaeth o ganlyniad i Ddeddf Rheilffyrdd 1921.
168. Staff of the Great Western Railway, the GWR. The staff of the Cambrian Railway was sited opposite and both companies ran independently until 1 January 1922 when they were united under the Railways Act 1921.

169. Injan stêm yn perthyn i gwmni'r Cambrian wedi aros yng ngorsaf Dolgellau. Saif rhai o staff yr orsaf o'i blaen.
169. A steam locomotive belonging to Cambrian Railways waiting at Dolgellau station. Some of the station staff pose in front of it.

170. Tren stêm rhif 6316 yng ngorsaf Dolgellau o dan y bont droed.
170. Steam train No. 6316 in Dolgellau station underneath the footbridge.

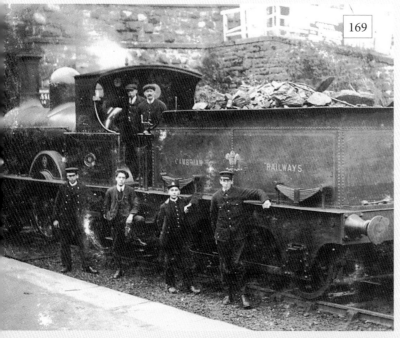

171. Gorsaf Dolgellau, ochr y GWR. Roedd Cwmnïau'r GWR a'r Cambrian yn cael eu gweinyddu ar wahân hyd 1922. Sylwer ar yr hysbysebion. Defnyddid sebon *Vinolia* ar long y *Titanic*. Mae nifer o'r enwau eraill fel *Colman's*, *Pears* ac *Esgidiau K* yn dal i fodoli ond mae *Baco Copes* wedi mynd i ebargofiant.

171. Dolgellau Station, GWR side. The GWR and Cambrian Railway Companies were managed separately until 1922. Note the advertisements: *Vinolia Soap* was used on the *Titanic*. Many of the names such as *Colman's*, *Pears* and *K Shoes* still exist but *Copes Tobacco* has since disappeared.

172. Bws y GWR. Pan basiwyd Deddf Great Western Railway (Cludiant Ffyrdd) yn 1928, y GWR ar y pryd oedd yn berchen ar y cwmni bysys mwyaf yn y wlad. Bu'r ddeddf hon fodd bynnag yn gyfrifol am reoleiddio'r gwasanaethau gan osod y ffordd iddynt gael eu trosglwyddo o ddwylo'r rheilffyrdd i gwmnïau bysys. Rhedai'r bysys hyn o nifer o orsafoedd megis Wrecsam, Corwen ac Aberystwyth.

172. The GWR bus. When the Great Western Railway (Road Transport) Act became law in 1928, the GWR was the largest bus company in the country. But the Act regulated the management of bus companies and the way in which passengers were transferred from the railway to the buses. These buses ran from a number of stations including Wrexham, Corwen and Aberystwyth.

TRAFNIDIAETH

173. Criw o weithwyr y tanws tu allan i Blas Newydd ym mhen ucha'r Stryd Fawr yn barod i fynd ar wibdaith mewn siarabáng.
173. Tannery workers outside Plas Newydd at the top of Eldon Square about to embark on an excursion in a charabanc.

175. FF 849: Injan dân gynnar, Leyland o ran gwneuthuriad a gofrestrwyd ar ddiwedd mis Rhagfyr 1921. Pennaeth y frigâd dân oedd Mr Edward Jones, Bethel House, Ffos y Felin. Adwaenid fel 'Jones y Dŵr' oherwydd ei fod hefyd yn gyfrifol am gyflenwi dŵr i'r dref o Lyn Cynwch.
175. FF849: Early motorised fire engine. The make was Leyland and was registered at the end of December 1921. The fire chief, Mr Edward Jones, Bethel House, Smithfield Street was known as 'Jones the Water' since he was also responsible for the town's water supply from Llyn Cynwch.

E A Owen a'i fan bost Morris Masnachol. Roedd y faniau hyn o ─vedd y 1930au wedi'u haddasu ar gyfer y Swyddfa Bost. Sylwer fod ─d ar un o'r goleuadau wedi'i osod o bosibl i gydymffurfio â'r rheolau ─owt adeg yr Ail Ryfel Byd.

174. E A Owen and his Morris Commercial post van. These vans dating from the late 1930s were custom made for the Post Office. Notice the cover on one of the headlights which was possibly installed to comply with blackout regulations during the Second World War.

176

177

178

176. Bysiau a cheir yn parcio ar y Marian ym mhum-degau'r ganrif ddiwethaf.
176. Buses and cars parked on the Marian during the 1950s.

177. Gyrrwr bws Hermon yn sgwrsio gydag un o weithwyr y depo cyn cychwyn ar ei daith (1957).
177. The driver of the Hermon bus talking to one of the depot workers before setting off on his journey (1957).

178. Gweithwyr depo Crosville Dolgellau, Mawrth 1957. [Llun trwy ganiatâd LlGC.]
178. Staff at the Crosville depot in Dolgellau, March 1957. [Picture by permission of the NLW.]